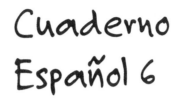

Cuaderno Español 6

El *Cuaderno Español 6*, del *Proyecto Yabisí,* es una obra colectiva concebida, diseñada y creada en Ediciones Santillana, Inc., por el siguiente equipo:

Directora Editorial:
Zaida O. Alameda Alequín

Editora:
María E. Villanueva Torres

Editora asistente:
Shakira M. Acevedo Cosme

Colaborador:
Neftalí Rodríguez Santiago

Correctora de estilo:
Patria B. Rivera Reyes

Correctoras asistentes:
Isabel Batteria Parera
Esther Rodríguez Miranda

D1504839

Yabisí

Santillana

Cuaderno Español 6

Proyecto Yabisí

Padres y maestros:

Con el objetivo de ayudar a los niños puertorriqueños a desarrollar sus capacidades comunicativas, hemos elaborado el *Cuaderno Español 6*, el cual, junto con el libro del alumno *Español 6*, forman parte del **Proyecto Yabisí**.

Este cuaderno trabaja las destrezas semánticas, de pensamiento lógico, gramaticales y ortográficas, introducidas en el libro del alumno. Nuestra recomendación es que, una vez terminado cada capítulo del libro *Español 6*, el maestro dirija a los estudiantes al capítulo correspondiente del *Cuaderno*, de manera que fortalezcan el conocimiento adquirido.

Esperamos que este esfuerzo pedagógico y editorial contribuya a la enseñanza de nuestros niños y que los ayude a desarrollarse como estudiantes y como individuos.

Las editoras

Este árbol es un **mata ratón** y su nombre científico es *Glyrhicidia sepium*. Es un árbol pequeño de escaso follaje, que puede alcanzar los veinticinco pies de altura. Su corteza es gris o castaño claro. Florece en invierno y en primavera (de diciembre a mayo) y su fruto madura del invierno a verano. El mata ratón es común a lo largo de las carreteras, en cercas y como ornamento en las regiones húmedas y secas de la costa, la región húmeda caliza y las regiones montañosas bajas.

Nota importante: De acuerdo con las más recientes disposiciones de la Real Academia de la Lengua Española, publicadas en el *Diccionario panhispánico de dudas*, los pronombres demostrativos (*este*, *ese*, *aquel* y sus respectivos femeninos y plurales) no se acentúan, excepto en caso de ambigüedad. Tampoco se acentúa el adverbio *solo* (*solamente*), a no ser que haya riesgo de confusión (poco frecuente).

NOMBRE:

ESCUELA:

SALÓN:

MAESTRO
O MAESTRA:

Yabisí

Índice

¿Quién soy?

Vocabulario y Razonamiento verbal

1 Lee la siguiente conversación. Luego, contesta:

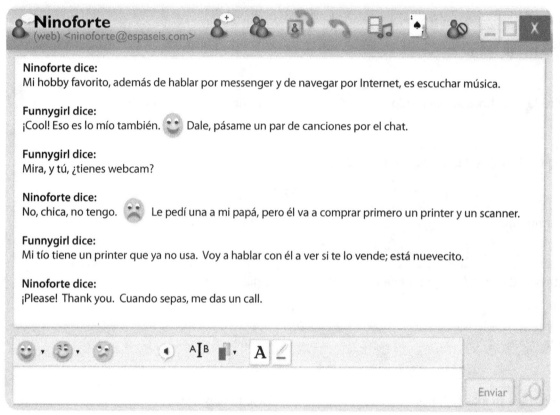

Ninoforte
(web) <ninoforte@espaseis.com>

Ninoforte dice:
Mi hobby favorito, además de hablar por messenger y de navegar por Internet, es escuchar música.

Funnygirl dice:
¡Cool! Eso es lo mío también. 😊 Dale, pásame un par de canciones por el chat.

Funnygirl dice:
Mira, y tú, ¿tienes webcam?

Ninoforte dice:
No, chica, no tengo. 😩 Le pedí una a mi papá, pero él va a comprar primero un printer y un scanner.

Funnygirl dice:
Mi tío tiene un printer que ya no usa. Voy a hablar con él a ver si te lo vende; está nuevecito.

Ninoforte dice:
¡Please! Thank you. Cuando sepas, me das un call.

Enviar

a. ¿Qué extranjerismos y neologismos observaste en la conversación anterior?

_____

_____

b. ¿Qué palabras de otro idioma te gustaría que fuesen parte del idioma español? ¿Por qué?

_____

_____

c. ¿Por qué crees que utilicemos palabras de otros idiomas al hablar en español?

_____

_____

2 Une los siguientes extranjerismos con su traducción correcta en español.

a. *ticket*

b. *debut*

c. *training*

d. *lasagna*

e. *zip code*

estreno

código postal

boleto

adiestramiento

lasaña

3 Busca en el diccionario los siguientes neologismos. Luego, escribe su significado.

a. ciberespacio ➤ _____

b. cantinflear ➤ _____

c. escáner ➤ _____

d. fax ➤ _____

e. multimedia ➤ _____

4 Crea una página doble de diccionario con los extranjerismos o neologismos que más utilices. Recuerda escribir las palabras guía y seguir el orden alfabético.

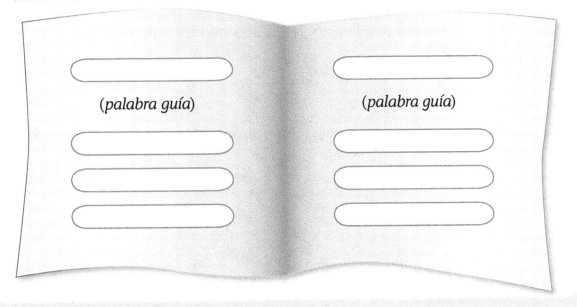

(palabra guía)

(palabra guía)

Gramática

1 Observa la ilustración. Luego, contesta:

a. ¿Crees que la madre y el niño logren comunicarse? ¿Por qué?

_____

b. ¿Qué problemas pueden surgir cuando no hay una comunicación efectiva?

_____

2 Colorea el recuadro que presente una situación en la que se transmita un mensaje a través de señales.

el aplauso del público	el guiño del ojo
un noticiario televisivo	una mano que pide pon
una canción en la radio	una bandera a media asta

3 Organiza del 1 al 4 las ilustraciones, según el orden en que ocurren durante el proceso de comunicación. Luego, escribe qué elemento de la comunicación representa cada imagen.

☐

_____

3-2-2011

Hola, María.
La presente es para invitarte a mi fiesta de cumpleaños.
Espero que no faltes.
Se despide,
Juan

☐

_____

María Méndez
C/5 # 44
Ponce, P.R.

Remite:
Juan Orozco
C/9 # 20
Arecibo, P.R.

☐

_____

☐

_____

4 Analiza y clasifica los elementos de la comunicación de la siguiente situación:

Andrés envió un mensaje de texto al celular de Luisa, para declararle sus sentimientos.

Elementos de la comunicación	
emisor	
receptor	
mensaje	
canal	
código	

5 Indica si las oraciones son unimembres o bimembres.

a. ¡Auxilio! → _____

b. Hasta pronto, amigo. → _____

c. ¿Cómo te sientes? → _____

d. Ven temprano para jugar. → _____

e. ¡Socorro! → _____

6 Subraya las oraciones, según esta clave:

• **rojo** = oraciones unimembres　　　• **azul** = oraciones bimembres

Rodrigo. —Mi amiga Rocío es una niña inteligente.

Luisa. —¿Por qué lo dices?

Rodrigo. —Porque le encanta proteger la naturaleza y ayudar a su papá, un reconocido científico. Él investiga lugares remotos del Planeta.

Luisa. —Vaya. ¡Qué interesante!

Rodrigo. —Sí. Una vez, Rocío descubrió un insecto parecido a una libélula.

Luisa. —¿Dónde lo encontró?

Rodrigo. —Lo encontró en el patio de su casa. Le puso el nombre de *Juaniferus Bondadosus.*

Luisa. —¡Qué gracioso! ¿Por qué ese nombre?

Rodrigo. —Rocío decía que aquel insecto se parecía a su amigo Juan, un niño delgado con grandes ojos negros y de una bondad admirable.

7 Escribe una oración bimembre relacionada con cada oración unimembre.

a. ¡Qué susto! → *La película me asustó muchísimo.* _____

b. Imposible. → _____

c. Hasta mañana. → _____

d. ¡Fantástico! → _____

8 Escribe un corto diálogo, a partir de estos datos:

emisor: un amigo

receptor: tú

código: idioma español

tema del mensaje: actividades de tu escuela

canal: lenguaje oral

9 Completa la siguiente historia con oraciones unimembres o bimembres, según se indique:

Ayer fue el mejor día de mi vida. Por primera vez, fui con mi familia al circo. _____ Mi padre me preguntó:

(oración unimembre)

_____

(oración bimembre)

Solo pude contestar: _____ Fue mi reacción al

(oración unimembre)

ver tantos actos maravillosos, todos juntos en una gran función de circo.

_____ Todo eso sentí cuando

(oración unimembre)

vi al trapecista caminar por la cuerda floja. _____

(oración bimembre)

_____ ¡No puedo esperar para

volver al circo el próximo año! _____

(oración bimembre)

Ortografía

1 Lee, cuidadosamente, la carta de Daniel. Luego, escribe los dos puntos donde sea necesario.

30 de agosto de 2009

Querida Lisa

Espero que te encuentres bien. La próxima semana, mis compañeros del equipo de baloncesto y yo iremos a acampar a Camuy. Una vez allí, haremos caminatas y viajes en bicicleta. El entrenador del equipo quiere probar nuestra resistencia, así que nos dijo "Todos tienen que llevar quince libras de peso en su mochila. Así se sabrá quién es quién."

Tenemos que llevar lo siguiente tres mudas de ropa, comida enlatada, un abrelatas y artículos de higiene personal. El entrenador nos asignó, además, las siguientes tareas montar las casetas, buscar agua y preparar los alimentos. También, tendremos actividades como clases de buceo y de primeros auxilios. Espero poder sobrevivir esta aventura. Luego, te contaré cómo me fue.

Hasta pronto,
Daniel Gerardo

2 Completa las oraciones con lo estudiado en clase.

a. Los dos puntos se escriben después del _____ de una carta.

b. También, se escriben antes de comenzar una _____.

c. Igualmente, los utilizamos antes de _____ de un escrito.

d. Y, finalmente, antes de un _____ que explique o amplíe información.

3 Marca las oraciones en las que los dos puntos estén utilizados correctamente.

☐ **a.** ¿Quién dijo: "adiós, guapa", cuando pasé por el pasillo?

☐ **b.** Necesito: cinco dólares para comprar el boleto.

☐ **c.** Estos son algunos pueblos de Puerto Rico que tienen nombres indígenas: Jayuya, Yauco, Loíza y Gurabo.

☐ **d.** Aquí tienes todo lo que necesitas para la receta harina de trigo, azúcar, mantequilla y sal.

☐ **e.** Una oración simple se divide en dos partes: sujeto y predicado.

4 Coloca los dos puntos donde sea necesario.

a. Hay un refrán que dice "De tal palo, tal astilla".

b. Estos son los atributos que me describen atractivo, simpático, dinámico, divertido, alegre, respetuoso y modesto.

c. El joven estaba muy asustado miraba con espanto al feroz animal.

d. Carmen escribió una nota que decía "Te quiero mucho".

e. Apreciado amigo Espero que tengas un excelente día.

f. El heroico caballero poseía fuerza, habilidad, valentía y compasión.

5 Redacta una oración que reproduzca lo que dijo cada persona.

a. Mi abuelo me dijo que cerrara la puerta de la calle.
Mi abuelo me dijo: "Cierra la puerta de la calle".

b. El astronauta comentó que aquel era un viaje interesante.
_____

c. El violinista aclaró que tocaría una sonata de Mozart.
_____

d. El director informó que participaríamos en un concurso de fotografía.
_____

Tengo deberes

Vocabulario y Razonamiento verbal

1 Lee el texto. Luego, escribe en los paréntesis el prefijo que mejor corresponda con la lectura.

En un país (_____) **preciso**, vivía Ruis, un niño que se sentía (_____)**aprobado** por las personas. Estas no entendían por qué él cantaba tanto. Un día, la madre de Ruis, enérgicamente, le dijo: "¡Me disgusta que estés cantando tanto! No todo en la vida es cantar". Ruis le contestó que él había nacido para cantar, pero, de todas formas, ella le prohibió hacerlo. "¡Es (_____)**justo!**", protestó el niño.

(_____)**encantado** con la situación, el niño se retiró al bosque, muy lejos de su casa, para así cantar sin molestar a nadie. Cantó tanto aquella tarde que Ruis, poco a poco, se fue transformando en un hermoso pájaro. En ese momento, el pueblo se enamoró de aquel melodioso canto que provenía del bosque.

2 Combina las siguientes palabras con los prefijos *re-* y *des-*, y el sufijo *-azo*. Luego, escríbelas en el recuadro correspondiente.

- nutrir
- ojo
- quitar
- llenar
- gato
- hombre
- colocar
- poblar
- unir
- formar
- coche
- bola

re-

des-

-azo

3 Encierra en un círculo los sufijos de estas palabras. Luego, indica qué tipo de sufijo es: diminutivo, aumentativo, despectivo o gentilicio.

a. perrucho ⟶ _____

b. caribeño ⟶ _____

c. balconcito ⟶ _____

d. gentuza ⟶ _____

e. golpetazo ⟶ _____

4 Subraya el prefijo que contengan las siguientes palabras. Luego, escríbelos en el crucigrama.

a. contradecir

b. anticuerpo

c. desentonar

d. prejuicio

e. interlocutor

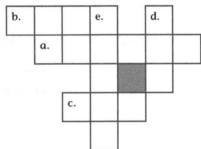

5 Utiliza las definiciones de los siguientes prefijos y sufijos, para escribir tres palabras que los lleven.

- *-ista* = profesión
- *ante-* = anterior
- *super-* = sobre, superior
- *-ito* = diminutivo

- ista	ante-	super-	-ito

Gramática

1 Lee el anuncio y subraya el sujeto de cada oración. Luego, contesta:

Mis amigos se preocupan por Puerto Rico.
Yo decidí unirme a su esfuerzo.
¿Qué esperas? Te necesitamos.

a. ¿Qué oraciones poseen sujeto tácito?

_____

b. Escribe cuál es el sujeto tácito de esas oraciones.

_____

2 Organiza los grupos de palabras, para formar oraciones con sujeto y predicado. Luego, encierra en un círculo el núcleo del sujeto de cada oración.

a. corre – por el campo – el caballo

_____

b. los pájaros – sus nidos – en los árboles – hacen

_____

c. trae – un zapato – la señora – desamarrado

_____

d. en la playa – construyen – mis compañeros – un castillo de arena

_____

e. se vende – para niños – ropa – de algodón

_____

3 Añade un núcleo a cada frase y forma sujetos.

a. La _____ de mi casa

b. Unos _____ antiguos

c. Todos los _____

d. Una _____ nueva

e. Estas _____

f. La _____ de primera calidad

g. Algún _____ de estos

h. Aquel _____ amarillo

i. El _____ de Puerto Rico

j. Las _____ de Anabel

4 Colorea las oraciones que tengan sujeto tácito. Luego, escribe el pronombre adecuado para ellas.

a. ⬜ ¡Unidos venceremos! ➡ nosotros

b. ⬜ Rebeca y yo cumplimos el mismo día. ➡

c. ⬜ Planificaron una cita importante. ➡

d. ⬜ Grandes éxitos del ayer ➡

e. ⬜ Recibí una carta de mi prima. ➡

f. ⬜ ¿Trajiste tus materiales? ➡

5 Escribe una *S*, si la oración posee un sujeto simple y una *C*, si posee un sujeto compuesto.

⬜ a. El coro de la escuela le ofreció a la comunidad un hermoso concierto de primavera.

⬜ b. Elías es un joven que exige sus derechos.

⬜ c. Mariano escribe en su diario todo lo que le ocurre.

⬜ d. Carlos, María y Esteban fueron de paseo por el parque.

⬜ e. Dos muchachas miran a un jovencito que pasa distraído.

⬜ f. Blanca y Patricia se fueron de vacaciones a Luquillo.

6 Inventa un sujeto para cada predicado. Puedes utilizar sustantivos o pronombres.

a. _____ compró un carro del año.

b. _____ viajaron a Culebra y a Vieques.

c. _____ tengo una bicicleta nueva.

d. _____ juegan en mi equipo de pelota.

e. _____ habla con su prima en la cafetería.

f. _____ estudia francés los sábados por la mañana.

7 Escribe el núcleo de cada sujeto que inventaste en el ejercicio anterior.

a. _____   d. _____
b. _____   e. _____
c. _____   f. _____

8 Escribe un sujeto simple o un sujeto compuesto para cada oración, según corresponda.

a. _____ vamos para el juego.

b. _____ realizó todos los preparativos de la actividad.

c. _____ son mis juegos preferidos.

d. _____ escribieron hermosos poemas de amor.

e. _____ son instrumentos musicales.

f. _____ soñó con ser astronauta.

g. _____ festejaron después del partido.

h. _____ se fueron juntos.

9 Busca, en revistas o en periódicos, una fotografía de algún producto que llame tu atención. Pégala en el espacio provisto y escribe un anuncio para él. Utiliza oraciones con sujeto simple en tu creación.

_____
_____
_____
_____
_____
_____
_____
_____

10 Observa, detenidamente, la ilustración. Luego, redacta un corto párrafo en el que utilices solo oraciones con sujeto compuesto.

Tema: Una obra escolar
Situación: Ensayo de una obra, con tus compañeros de clase, para la actividad de celebración del descubrimiento de América

_____
_____
_____
_____
_____
_____

Ortografía

1 Lee con atención lo que narra el autor. Luego, subraya con rojo los puntos suspensivos que veas.

Amanecía.
El sol se asomó por el horizonte, cortando la noche con sus grandes destellos. Las bandadas de aves volaban hacia la luz, anunciando un nuevo comienzo. Había llegado la primavera o… Calixto se encontraba sumergido en un profundo sueño, cuando… ¡Pluum! Aquel estruendo desconocido, sorpresivo, ensordecedor… le trajo a la realidad de aquel nuevo día. Asustado, se propuso levantarse para averiguar qué lo había despertado. Volvió a escuchar aquel estruendo. Tembloroso y asustado, el joven se acercó cada vez más al lugar…

2 Copia las oraciones del texto anterior que ejemplifiquen los siguientes usos de los puntos suspensivos:

a. Al final de una enumeración

_____

b. Para expresar duda

_____

c. Para crear sorpresa

_____

d. Para expresar temor o suspenso

_____

3 Completa estas oraciones con las reglas estudiadas en clase.

a. Coloco los puntos suspensivos para _____

_____ .

b. Con los puntos suspensivos, también puedo_____

_____ .

4 Escribe el punto final o los puntos suspensivos donde corresponda.

a. Ramón dedica su tiempo libre a leer, ver televisión, escuchar música ☐

b. De pronto, se escuchó un ruido ☐

c. Estoy pensando si aceptar o no ☐

d. Le dije: más vale pájaro en mano ☐

e. Lo haré; no lo haré ☐ Debo decidirme ☐

5 Utiliza los puntos suspensivos para escribir de manera incompleta estos refranes:

a. A quien madruga, Dios lo ayuda.

   _A quien madruga…_____

b. La mona, aunque se vista de seda, mona se queda.

   _____

c. A caballo regalado, no se le mira el colmillo.

   _____

d. No por mucho madrugar se amanece más temprano.

   _____

6 Cuenta a un amigo cómo pasaste el fin de semana. Utiliza los usos del punto suspensivo, y acompaña tu escrito con un dibujo.

Ayudo a mi familia

1 Observa la imagen y ordena en tres series las palabras que aparezcan en ella. Luego, cópialas en la tabla.

Serie de palabras con orden descendente	Serie de palabras con orden ascendente	Serie de palabras con orden descendente

2 Colorea el término excluido de la serie de palabras.

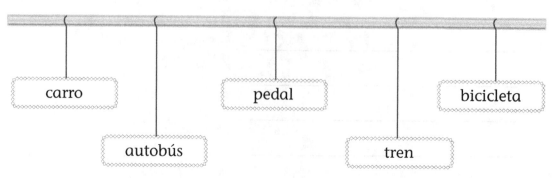

3 Identifica y escribe la relación que existe entre cada grupo de palabras.

- mariposa
- grillo
- avispa
- mosquito

- barco
- buque
- canoa
- velero

- cobre
- plata
- cinc
- hierro

- Lima
- Buenos Aires
- Quito
- Bogotá

- fémur
- tibia
- peroné
- húmero

- Cayey
- Aguada
- Orocovis
- Maunabo

4 Tacha el término excluido de cada grupo. Luego, escribe una palabra que guarde la misma relación con las demás.

a. (martillos, herramientas, destornilladores, serruchos) → _____

b. (silla, sofá, mesa, sillón, butaca) → _____

c. (galletas, bombones, paletas, delicioso) → _____

d. (unir, juntar, agrupar, integrar, separar) → _____

e. (gripe, laboratorio, varicela, dengue) → _____

5 Forma una serie de palabras para cada uno de los temas, según el orden que se indique.

a. familia (ascendente) _____

b. transporte (descendente) _____

c. animales (descendente) _____

d. planetas (ascendente) _____

e. frutas (ascendente) _____

Gramática

1 Lee, en la pizarra, las oraciones. Luego, encierra en un círculo el predicado de cada oración.

a. Laura, mi prima, es muy sincera con sus amigos.

b. El técnico reparó la nevera y la estufa.

c. Mi hermana Maritza juega tenis y *ping-pong* muy bien.

d. Pamela, Roberto y yo fuimos juntos al parque de diversiones.

e. Yo soy una persona inteligente y divertida.

f. Andrea parece una estudiante muy estudiosa.

g. Los saltamontes frotan sus patas en la noche.

h. El caballo es un animal que se domestica fácilmente.

i. El conejo de Juan parece una mota de algodón.

2 Organiza los grupos de palabras, para formar oraciones con sujeto y predicado. Luego, encierra en un círculo el núcleo del sujeto de cada oración.

a. Mis abuelos maternos — participamos en un maratón.

b. El maestro — dibuja un paisaje en su libreta.

c. Mi papá y yo — nos visitaron ayer.

d. Luisa — son peligrosos.

e. Mis compañeros — mostró fotografías durante la clase.

f. Mi familia — no trajeron su tarea.

g. Los cables sueltos — son muy talentosos.

h. Los actores — es muy unida.

i. El bombero — apagó el fuego.

3 Subraya el predicado en cada oración. Luego, encierra en un círculo el núcleo de cada predicado.

a. La tía de María pinta cuadros al óleo.

b. Clara y su mamá pasean juntas por el jardín.

c. El padre de Tati es un profesional.

d. El timbre sonó varias veces.

e. Germán construyó una hermosa casa.

f. La banda interpretó una pieza musical.

g. Rocío y Juan corren por el parque.

h. El informe resultó muy interesante.

i. Mis abuelos participaron en un torneo de ajedrez.

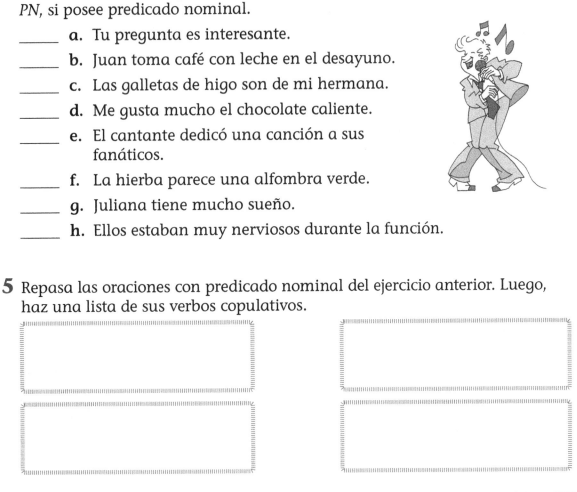

4 Lee las oraciones. Luego, escribe *PV* si la oración posee predicado verbal y *PN*, si posee predicado nominal.

_____ a. Tu pregunta es interesante.

_____ b. Juan toma café con leche en el desayuno.

_____ c. Las galletas de higo son de mi hermana.

_____ d. Me gusta mucho el chocolate caliente.

_____ e. El cantante dedicó una canción a sus fanáticos.

_____ f. La hierba parece una alfombra verde.

_____ g. Juliana tiene mucho sueño.

_____ h. Ellos estaban muy nerviosos durante la función.

5 Repasa las oraciones con predicado nominal del ejercicio anterior. Luego, haz una lista de sus verbos copulativos.

6 Encierra en un círculo el núcleo del predicado de cada oración, según esta clave:

- **rojo** = núcleo del predicado verbal
- **verde** = núcleo del predicado nominal

Las partes de la planta son: raíz, tallo, hojas, flores, frutos y semillas. Cada parte tiene una función importante. El fruto nace de las flores. Y, en muchos casos, las semillas están dentro de los frutos. Finalmente, de las semillas nacerán nuevas plantas.

Por su parte, las hojas permiten que la planta respire y fabrique su alimento. El tallo es la parte de la planta que la sostiene y que lleva el alimento al resto de sus partes. Por último, la raíz sujeta la planta a la tierra. También, absorbe el agua y los minerales que la planta necesita.

7 Identifica el atributo en cada una de estas oraciones. Luego, indica si es un sustantivo o un adjetivo.

a. La película estuvo aburrida. → _____

b. Los cuentos son muy largos. → _____

c. El niño parecía solitario. → _____

d. Ese bizcocho parecía más grande. → _____

e. Camilo será nuestro huésped. → _____

f. La comida estaba fría y sosa. → _____

8 Completa cada oración con un atributo.

a. Los padres son _____.

b. Ese río parece _____.

c. Mi vecino está _____.

d. Este verano estaré _____.

e. Ella parecía _____ de amor.

9 Escribe un predicado para cada sujeto, según lo que se indique.

a. Ellos _____.

(predicado nominal)

b. Sofía y tú _____.

(predicado verbal)

c. Mi familia _____.

(predicado verbal)

d. La maestra _____.

(predicado nominal)

e. Ustedes _____.

(predicado nominal)

f. Juan _____.

(predicado verbal)

10 Redacta un párrafo corto sobre la familia de la ilustración. Luego, subraya con una línea azul los predicados verbales y con una línea amarilla, los predicados nominales.

_____
_____
_____
_____
_____

Ortografía

1 Lee los recordatorios que la mamá de Josué le dejó en su cuarto. Presta mucha atención al uso de los paréntesis y las comillas.

1

Para este viernes (18 de septiembre), debes terminar de leer el libro *El héroe galopante*, de Nemesio Canales.

2

Recuerda esta cita de Benjamín Franklin: "La paz y la armonía constituyen la mayor riqueza de la familia".

3

¡Cuidado! Escuché que se descubrió un virus que ataca a las computadoras. El "simpático visitante" proviene de algunos videojuegos pirateados.

4

Tu maestra llamó y dijo que se canceló la excursión al Parque LMM (Luis Muñoz Marín), hasta nuevo aviso.

2 Escribe el número de la nota y el signo de puntuación empleado, junto a la regla de uso que ejemplifique.

   a. Encerrar citas textuales   _____

   b. Explicar el significado de una abreviatura   _____

   c. Separar comentarios o aclaraciones en una oración   _____

   d. Señalar una palabra o frase irónica   _____

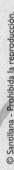

3 Lee las oraciones y añádeles las frases de los recuadros, dentro de paréntesis. Luego, cópialas debajo de la oración original y señala, al lado, si se trata de un comentario, una abreviatura, un dato o una fecha.

> - 19 de noviembre
> - Organización de las Naciones Unidas
> - aunque es muy viejo
> - el más grande que construyeron los españoles en Puerto Rico

a. El automóvil de mi abuelo subió la cuesta empinada. ➜ _____

_____

b. Ayer visitamos el fuerte San Cristóbal. ➜ _____

_____

c. El Día del Descubrimiento de Puerto Rico es feriado. ➜ _____

_____

d. Mi tía es traductora de la ONU. ➜ _____

_____

4 Escribe las comillas donde sea necesario.

a. Un letrero dice: El humo del cigarro apesta, molesta y cuesta.

b. La directora anunció: No habrá clases el martes.

c. Ese muchacho es tan rápido que llega a la meta cuando todos se han ido.

d. Las madres perdonan siempre; han venido al mundo para eso. Alejandro Dumas

e. Mi maestra de canto siempre me dice: Respira con el diafragma.

5 Redacta un final para la siguiente historia. Recuerda colocar los paréntesis y las comillas donde sea necesario.

María miró a lo lejos y exclamó: "¡Qué lindo se ve el paisaje!" Germán (muy emocionado) le respondió: "Sí, el paisaje es hermoso. ¿Te gustaría ir al río?"

_____

_____

_____

Descubro mundos diferentes

Vocabulario y Razonamiento verbal

1 Lee, cuidadosamente, la historia. Luego, marca la respuesta correcta.

Érase una vez una montaña de cristal, en cuya cumbre se levantaba un castillo de oro puro y, frente a él, un manzano que daba solamente manzanas doradas. La princesa Isolda vivía prisionera en ese castillo, custodiada por un peligroso dragón, así que, nadie en la aldea se atrevía a acercarse. Con el tiempo, todos dejaron de esperar su regreso; en cambio, sus padres continuaron buscando la forma de traerla de vuelta. A ellos también se les unió el príncipe Sigfredo. Sin embargo, el príncipe no hallaba la forma de subir a la montaña de cristal, cortar un manzana de oro, dársela al dragón y rescatar a la princesa. Después de mucho meditarlo, el príncipe decidió que necesitaría la ayuda de sus amigos.

a. En el texto anterior, ¿qué relación establece el conector lógico *así que*?

☐ causa   ☐ consecuencia   ☐ adición   ☐ contraste

b. ¿Qué tipo de conexión realiza el conector *en cambio*?

☐ consecuencia   ☐ adición   ☐ contraste   ☐ secuencia

c. ¿Qué relación establece el conector *también*?

☐ causa   ☐ adición   ☐ contraste   ☐ secuencia

d. ¿Qué tipo de conexión realiza el conector *sin embargo*?

☐ causa   ☐ consecuencia   ☐ contraste   ☐ secuencia

e. ¿Qué relación establece el conector *después*?

☐ causa   ☐ consecuencia   ☐ adición   ☐ secuencia

2 Completa las oraciones con los siguientes conectores lógicos de causa y consecuencia:

- por tal razón
- porque
- por eso
- en consecuencia
- por lo tanto
- debido a que

a. El chofer no respetó el semáforo; _____, fue multado.

b. Carmen se reía tan fuerte _____ Adrián le contó un chiste.

c. Estuve atento a la clase; _____, aprendí más.

d. Llegué más tarde a la escuela, _____ no pude levantarme temprano.

e. Ana no estudió nada; _____, desaprobó el examen.

f. Estoy castigada; _____, no podré ir a tu fiesta.

3 Utiliza conectores lógicos de adición, contraste o secuencia, para completar las siguientes oraciones:

a. Le dolía mucho el brazo, _____.

b. Hubo una gran tormenta, _____.

c. El río está contaminado; _____.

d. La noche está tranquila, _____.

e. Es importante tener una buena alimentación, _____.

4 Escribe una oración para cada clase de conector.

causa	
consecuencia	
adición	
contraste	
secuencia	

Gramática

1 Lee el correo electrónico y subraya las oraciones, según esta clave:

• **rojo** = el sujeto   • **azul** = el predicado

✉ Viaje a Italia	– + ☒

A_rchivo	E_dición	V_er	I_nsertar	F_ormato	H_erramientas	A_cciones

Para...   luischiquito@espaseis.com

CC...

Asun_to: Viaje a Italia

¡Hola, primo! ¿Cómo estás? (**1**) Mira, la familia viajó este verano a Europa. (**2**) El paseo por la ciudad de Roma fue muy divertido. (**3**) El guía turístico nos llevó al Foro Romano, al Coliseo, a la Plaza de España y a otros lugares muy interesantes. (**4**) Sin embargo, la Fuente de Trevi fue el lugar que más me gustó. (**5**) Todos los turistas lanzamos monedas a la fuente y pedimos un deseo. (**6**) El deseo de todos era poder regresar a Roma algún día. Mañana te cuento más. Cuidate,
Lorna

2 Completa la tabla con los sujetos y los predicados que subrayaste en el ejercicio anterior.

Oración	Núcleo del sujeto	Núcleo del predicado
1		
2		
3		
4		
5		
6		

3 Encierra en un círculo el núcleo del sujeto y en un rectángulo, sus modificadores.

  a. Muchos turistas viajan a Puerto Rico anualmente.

  b. Los puertorriqueños son ciudadanos de los Estados Unidos.

  c. Todos los miembros del club asistieron a la marcha por la paz.

  d. La prima de Tito nos leyó poemas hermosos esta tarde.

  e. La esposa de mi primo Pedro visitó a su familia en Costa Rica.

  f. La mascota de Loida se escondió detrás de la puerta.

  g. El relojero arregló el reloj de la catedral.

  h. La maestra de Español nos asignó una novela para el próximo examen.

4 Escribe un núcleo para cada sintagma del sujeto.

  a. La _____ argentina

  b. Las _____ de oro

  c. Los _____ de mi tío Juan

  d. El _____ de Marcelo

  e. Los _____ de mi vecino

  f. El _____ de las tres

  g. _____, gobernador de Puerto Rico

  h. La _____ de Inglaterra

5 Subraya con una línea el núcleo del predicado y con dos, sus modificadores.

  a. Mi hermana envió las invitaciones para la fiesta.

  b. Ellos llamaron a los bomberos.

  c. El próximo jueves celebramos el triunfo de nuestro equipo.

  d. Ustedes deben ser considerados con su amigo.

  e. Mi mejor amigo tiene dos hermosos caballos de paso fino.

  f. Contamos contigo para la fiesta.

  g. Las hermanas de Raúl preparan un *sushi* delicioso.

  h. Juliana y Claudia cumplen años el mismo día.

6 Inventa un sintagma del predicado para cada oración.

a. Los carros que trafican a alta velocidad _____.

b. Los accidentes y las lesiones _____.

c. Mis botas nuevas _____.

d. Marilyn, Gustavo y Francisco _____.

e. La danza, la bomba y la plena _____.

7 Lee las oraciones y determina cuál es el sintagma de sujeto (**SS**) y cuál el sintagma de predicado (**SP**). Luego, cópialos donde corresponda.

a. Muchos deportes se practican en Puerto Rico.

SS: _____

SP: _____

b. Mi hermana Verónica escribe cartas electrónicas constantemente.

SS: _____

SP: _____

c. Mi papá planificó la fiesta y recordó invitar a Nicolás, el payaso.

SS: _____

SP: _____

d. El autor Antonio S. Pedreira escribió acerca de la identidad puertorriqueña.

SS: _____

SP: _____

e. Las recetas de cocina requieren muchos ingredientes.

SS: _____

SP: _____

f. En la Plaza del Mercado de Río Piedras, preparan unas riquísimas batidas de frutas.

SS: _____

SP: _____

g. Los jóvenes se reunieron para organizar un torneo de dominó.

SS: _____

SP: _____

8 Observa las escenas de la tirilla. Inventa una oración con sintagma del sujeto, para la primera escena y una oración con sintagma del predicado, para la segunda escena. Escríbelas en los espacios correspondientes.

9 Imagina cómo sería el mundo si todo fuera al revés. Haz un dibujo, en el espacio provisto, en el que muestres un mundo al revés. Luego, escribe cinco oraciones que lo expliquen. Recuerda que tus oraciones deben tener sintagma del sujeto y sintagma del predicado.

a. _____

_____

b. _____

_____

c. _____

_____

d. _____

_____

e. _____

_____

Ortografía

1 Lee el siguiente texto. Luego, coloca las comas que falten.

> En tierras muy lejanas, Marla y Javi descubrieron un palacio hermoso pero de difícil acceso. La puerta era custodiada noche y día por leones lobos y panteras. Al acercarse, los protagonistas de esta historia temían por su vida. Sin embargo los animales no los atacaron. Marla entró primero; Javi segundo. Y aunque ninguno sintió pasos los niños pronto vieron acercarse a una hermosa dama que les ofreció deliciosos manjares. Luego sin tiempo para reaccionar ella desapareció sin dejar rastro.

2 Marca la opción que represente el uso que se le da a la coma en cada oración.

a. Rufo, el perro de Ana, ganó el concurso.

☐ antes de expresiones adversativas   ☐ para separar aclaraciones

☐ indicar la omisión de un verbo

b. Ellos leen cuentos; ellas, novelas.

☐ antes de expresiones adversativas   ☐ para separar aclaraciones

☐ indicar la omisión de un verbo

c. Escucha lo que te digo, pero no me interrumpas.

☐ antes de expresiones adversativas   ☐ para separar aclaraciones

☐ indicar la omisión de un verbo

d. Susana trajo pinturas; María, pinceles.

☐ antes de expresiones adversativas   ☐ para separar aclaraciones

☐ indicar la omisión de un verbo

e. Carlos, el hijo de mi tía, volvió a sus estudios.

☐ antes de expresiones adversativas   ☐ para separar aclaraciones

☐ indicar la omisión de un verbo

3 Coloca las comas donde sean necesarias.

a. La ciudad del Cuzco el ombligo del mundo tiene un encanto misterioso.

b. Marta es diseñadora de modas; su hermana Raquel maestra.

c. Fui a buscarte pero no estabas.

d. Ponce la Perla del Sur es una ciudad hermosa.

e. Raúl el esposo de Sandra cocina muy sabroso.

f. Ángel trae buenas noticias; Luis malas noticias.

4 Sustituye con una coma el verbo que se repite. Luego, copia la oración correctamente.

a. Ana tiene tres libros; Evelyn tiene cuatro.

_____

b. Esta tarde haremos bizcochos; mañana haremos galletas.

_____

c. Ellos juegan baloncesto; ellas juegan voleibol.

_____

d. Manuel arregló las camas; Gladys arregló las mesas.

_____

e. Santiago come mucho; Roberto come poco.

_____

5 Redacta una oración con cada uso de la coma estudiado en clase.

a. Antes de expresiones adversativas ➜ _____

_____

b. Separar aclaraciones o explicaciones ➜ _____

_____

c. Indicar omisión de un verbo ➜ _____

_____

Conozco las antiguas civilizaciones

1 Observa la escena. Luego, haz una lista de palabras derivadas, a partir de las palabras simples destacadas.

antiguas

2 Colorea el recuadro con la palabra primitiva.

a. (deshacer)   (hacer)   (rehacer)

b. (anilla)   (anillado)   (anillo)

c. (arreglo)   (arreglado)   (desarreglar)

d. (quieto)   (inquieto)   (aquietar)

e. (perrero)   (perro)   (perrera)

f. (zapatero)   (zapato)   (zapatazo)

3 Tacha la palabra que no sea derivada de las siguientes palabras primitivas:

a. mar → marítimo, martillo, marea, marejada

b. cama → camastro, camarón, camilla, camita

c. pan → pana, panadero, panadería, panecillo

d. sal → salero, salitre, sala, salado

e. sol → soleado, soledad, solsticio, insolación

f. humano → humanidad, humanizar, humareda, humanista

4 Escribe seis oraciones con palabras derivadas. Intenta utilizar en cada oración, al menos, tres palabras derivadas. Fíjate en el ejemplo.

*El **vaquero** llevó todas las **vacas** a la **vaquería**.*

a. _____

b. _____

c. _____

d. _____

e. _____

f. _____

Gramática

1 Lee la historia y encierra en un círculo los determinantes estudiados en clase.

Un viejo maestro del Oriente vio que un pequeño alacrán se estaba ahogando y decidió sacarlo de las heladas aguas. Pero, cuando lo tomó entre sus delgados dedos, el alacrán lo picó. El bondadoso maestro intentó sacarlo otra vez y, nuevamente, el alacrán lo picó. Una persona curiosa se acercó al maestro y le dijo:

—Perdone, pero no entiendo su terquedad. ¿No ve que el ingrato animal lo ataca cada vez que intenta sacarlo del agua?

—La naturaleza del alacrán es picar, y eso no va a cambiar. La mía es ayudar. —respondió el maestro.

Y, entonces, tomó una hoja grande de un árbol; con ella sacó a aquel animal del agua y le salvó la vida.

2 Clasifica los determinantes que identificaste en el ejercicio anterior, de acuerdo con su función.

a. **artículos** _____

b. **artículo neutro** _____

c. **contracciones** _____

d. **posesivos** _____

e. **demostrativos** _____

f. **indefinidos** _____

3 Escribe *A*, si el determinante destacado es un artículo; *N*, si es un artículo neutro; y *C*, si es una contracción.

☐ **a. Los** griegos fueron una de **las** más importantes civilizaciones antiguas.

☐ **b. Lo** maravilloso del pasado es el legado que el hombre regala a sucesivas generaciones.

☐ **c. El** héroe griego más famoso de *La Ilíada* es Aquiles.

☐ **d.** Las mascotas **del** barrio son muy amistosas.

☐ **e. Lo** más bello de la humanidad es su capacidad de regenerarse.

☐ **f.** Las pirámides egipcias son una de las grandes maravillas **del** ser humano.

☐ **g. Las** computadoras se arreglaron en **la** tienda.

☐ **h. Lo** preocupante del asunto es que nadie aceptó su responsabilidad.

4 Subraya los determinantes posesivos, los demostrativos y los indefinidos. Luego, clasifícalos en la tabla.

a. Mi gran sueño es llegar a ser como aquella estrella de cine.

b. El hombre construyó otra embarcación.

c. Ningún artista ha podido superar lo que hizo aquella cantante.

d. Esa será tu decisión, pero esta es la mía.

e. La misma pregunta se les hizo a varios escritores.

f. Este verano, iremos de viaje a Grecia.

g. Muy pocos estudiantes llevaron almuerzo a la excursión.

h. Nuestro mayor deseo es contar con su presencia en la actividad.

Posesivos	Demostrativos	Indefinidos

5 Encierra en un círculo el determinante correcto, para completar cada oración.

a. El próximo viernes, iremos (*al / la*) concierto de (*el / la*) banda escolar.

b. Elegimos el artículo (*el / del*) periódico de más impacto en (*lo / el*) país.

c. Mañana tendremos el examen (*el / del*) *Cantar del Mio Cid.*

d. Te esperamos a (*los / las*) 12:00 p.m., en (*la / las*) entrada principal del centro comercial.

e. Seguiremos, al pie de la letra, las indicaciones (*al / del*) médico.

f. La maestra de Español nos dijo que le gustan (*las / los*) cuentos de Abelardo Díaz Alfaro.

g. Estas fotos son de (*el / la*) fiesta (*del / el*) año pasado.

h. Todos fuimos a (*la / del*) fiesta de Janina.

6 Completa las oraciones con los determinantes del recuadro.

> alguna   mi   tuyo   ningún   suyo   otra   nuestra   aquel   un

a. Pocos países son tan afortunados como _____ isla.

b. En _____ ocasión, probaré tu paella.

c. Me regaló _____ libro suyo, que yo tanto quería.

d. Ese collar es _____; no, mío.

e. ¿Conoces _____ enfermera que me pueda atender?

f. _____ dólar o dos... no estoy segura.

g. Es _____ camisa: mi papá me la compró.

h. La premiación se canceló; no hubo _____ ganador.

i. Todo lo mío es _____.

7 Contesta las preguntas con determinantes indefinidos.

a. ¿Cuántos libros vas a leer durante el verano?

_____

b. ¿Cuántas películas has visto?

_____

c. ¿De cuántas canciones te sabes la letra?

_____

8 Observa, detenidamente, la ilustración. Luego, redacta un corto párrafo, en el que describas las partes del castillo a un amigo. Utiliza los determinantes en tu escrito.

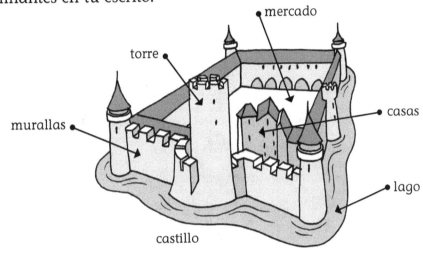

_____

_____

_____

_____

_____

_____

9 Crea una tarjeta en la que agradezcas algún favor especial. Recuerda utilizar determinantes.

43

Ortografía

1 Lee el texto y contesta:

Se podría pensar que la vida de los espejos es monótona; sin embargo, hay algunas excepciones. La de este espejo era una de ellas.

Aunque en su juventud había coqueteado con cualquiera, todo eso acabó cuando ella apareció: un cutis delicado, casi transparente; la mirada profunda, soñadora; la sonrisa apenas insinuada, como temiendo manifestarse; y el pelo largo, suelto, flotando al viento. El espejo sintió que su vida había cambiado. A partir de ese momento, se negó a reflejar a ninguna otra imagen: estaba enamorado.

a. Copia la oración del texto en la que el punto y coma separe los elementos de una enumeración.

_____
_____
_____
_____

b. Copia la oración en la que el punto y coma se utilice entre enunciados que tienen alguna relación.

_____
_____

c. ¿Cómo crees que sea la personalidad del espejo del texto? Utiliza el punto y coma en tu respuesta.

_____
_____
_____

2 Escribe el punto y coma donde sea necesario.

a. Recuérdalo y siempre estará presente olvídalo y su muerte será inmediata.

b. Durante el viaje, los estudiantes pasaron por el zoológico, en el que apreciaron los animales circularon por la ciudad, donde tomaron el tren urbano durmieron en el campo, para sentir el aire limpio y regresaron al aeropuerto.

c. Los libros tienen un gran valor cuídalos como un tesoro incalculable.

d. En la feria, se presentaron esculturas, que resaltan el arte abstracto pinturas, que destacan el claroscuro arquitectura, de carácter modernista y música, de estilo romántico.

e. Para estudiar para sus exámenes finales, Sandra abrió el libro de Español y resolvió algunos ejercicios de gramática todas las soluciones las apuntó en su libreta.

f. El sábado fue un día muy agitado: buscamos a mi abuela para llevarla al dentista llevamos a mi perra y a mi gato al parque fuimos al juego de pelota de mi primo y celebramos la victoria de su equipo en una pizzería.

3 Escribe una corta narración en la que utilices los usos del punto y coma estudiados, a partir de los siguientes datos:

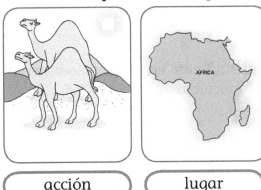  

| acción | lugar | condición climática | personajes |

_____

_____

_____

_____

_____

_____

Siempre cumplo mi palabra

Vocabulario y Razonamiento verbal

1 Lee, con mucha atención, la noticia. Luego, subraya las palabras simples y encierra en un círculo las palabras compuestas.

25 La cantamañanas	14 de enero de 2010

La peculiar ballena, Tamy, no se sentía feliz en cautiverio. Sus cuidadores aseguraron a este diario que Tamy, al parecer, se sentía como una sardina enlatada en la piscina del parque acuático donde se encontraba.

Papún, su cuidador por diez años, indicó que, unas semanas atrás, Tamy comenzó a mostrarse huraña y, en ocasiones, agresiva cuando él se acercaba. En palabras del cuidador: "Noté cierta incomodidad en ella cuando me acercaba, como si no quisiera que yo estuviera allí. No lo entiendo,

yo la alimenté desde que era un bebé...".

Todos los que conocieron a la ballena estrella del parque acuático afirman que Tamy solía ser muy cariñosa y que no sospechaban que ella deseaba regresar al mar. El agridulce incidente sucedió anteayer por la madrugada, cuando Tamy saltó sobre el arrecife que la mantenía prisionera. Los guardacostas, todavía boquiabiertos, fueron tras ella, pero solo alcanzaron a ver su aleta perdiéndose en el profundo mar. ¡Enhorabuena, Tamy! ¡Disfruta tu libertad!

2 Copia las palabras compuestas que identificaste en el ejercicio anterior y separa las dos palabras o raíces que la formen.

a. _____ → _____ + _____

b. _____ → _____ + _____

c. _____ → _____ + _____

d. _____ → _____ + _____

e. _____ → _____ + _____

f. _____ → _____ + _____

3 Busca, en la noticia del ejercicio 1, dos palabras parasintéticas y cópialas.

a. _____

b. _____

4 Une las palabras simples, para que formes palabras compuestas.

a.	caza	pájaros
b.	boca	metro
c.	saca	talentos
d.	espanta	calle
e.	kilo	cielos
f.	rasca	manchas

5 Ordena las sílabas para que formes palabras parasintéticas. Luego, encierra en un círculo los prefijos y sufijos.

a. zar-te-a-rri → ______________________

b. fe-ci-li-in-dad → ______________________

c. na-ran-a-do-ja → ______________________

d. do-sor-dez-mu → ______________________

e. gar-a-lar → ______________________

f. lar-ca-des-rri → ______________________

6 Colorea del mismo color las parejas de palabras que podrían formar palabras compuestas. Luego, copia las palabras compuestas que formes.

falda	ojos	alta	ante	latas
pica	caminos	ante	madre	baja
corre	mini	ayer	subi	voz
abre	selva	flor	tela	araña

____

____

____

Gramática

1 Lee la historia de Pinocho y presta atención a las descripciones. Luego, haz una lista de los adjetivos que aparecen en el texto.

Pinocho

Había una vez, en un pueblo distante, un viejo carpintero llamado Geppetto. Geppetto era un señor amable y simpático. Una noche, mientras Geppetto daba los toques finales a un hermoso muñeco de madera que había construido ese día, miró al muñeco y pensó: "¡Qué bello quedó!". Y como el muñeco estaba hecho de madera de pino, Geppetto decidió llamarlo *Pinocho*.

Aquella noche estrellada, Geppeto se fue a dormir deseando que su muñeco fuese un niño real. Siempre había deseado tener un hijo. Mientras se encontraba profundamente dormido, llegó un hada y, al ver a Pinocho, quiso premiar al buen carpintero, dando, con su varita mágica, vida al muñeco…

Carlo Collodi
(italiano)
(adaptación)

viejo	real
amable	profundamente
simpatico	magica
lo bello	buen
hermoso	
estrellada	

2 Marca la respuesta correcta, según lo estudiado en clase.

a. El adjetivo calificativo acompaña al _____.

☐ verbo. ☑ sustantivo. ☐ pronombre.

b. El adjetivo calificativo cumple la función de adyacente cuando acompaña directamente al _____.

☒ nombre. ☐ determinante.

c. El adjetivo calificativo cumple la función de atributo cuando acompaña al nombre _____.

☒ por medio de un verbo copulativo. ☐ por medio de una preposición.

3 Subraya los adjetivos, de acuerdo con la función que cumplan, según la clave:
• **verde** = adyacente • **rojo** = atributo

a. Las galletas dulces son mías.

b. Tu belleza parece insuperable.

c. Esa hermosa flor alegra nuestros sentidos.

d. El concierto fue fantástico.

e. Vicente es un ágil corredor.

f. La colorida pintura iluminó el lugar.

g. Las amistades sinceras no desaparecen.

h. El viaje estuvo fantástico.

4 Subraya el adjetivo que complete cada oración.

a. Las reservas (ecológicos / ecológicas) son el hogar de muchos animales.

b. Todos tenemos la (gran / grande) responsabilidad de proteger los animales.

c. En el zoológico de mi ciudad, puedes observar tres tipos de serpientes (venenosa / venenosas).

d. Carlos es (amoroso / amorosos) con todos los animales que cuida.

e. Hay más de dos mil especies de plantas (nativa / nativas).

f. Marta es una joven (comprometida / comprometido) con el ambiente.

g. La (inmensa / inmenso) variedad de plantas que existen en el mundo es (extraordinaria / extraordinario).

5 Completa las oraciones con un adjetivo adecuado.

a. El ser humano _____ es el responsable de la contaminación ambiental.

b. Los árboles son _____ porque purifican el aire.

c. El ser humano está destruyendo muchas partes de las selvas _____.

d. El agua _____ de los glaciares se está uniendo con el agua _____ del océano.

e. Los científicos han descubierto muchas plantas _____ en las selvas.

f. El hábitat del sapo _____ está en la selva.

6 Indica si los adjetivos están en grado positivo, comparativo o superlativo.

a. Marcos estuvo simpatiquísimo. _____

b. Federico es más alto que Adrián. _____

c. Claudia es una niña lista. _____

d. Esteban es menos ágil que Vicente. _____

e. Alexandra estuvo tan distraída como yo. _____

f. Sebastián es tan creativo como Victoria. _____

7 Escribe en cada tachuela *In,* si los adjetivos comparativos expresan inferioridad; *Ig*, si expresan igualdad; y *S*, si expresa superioridad.

La sopa es riquísima.

Fue tan doloroso como lo escuchas.

Tony es menos hábil que su hermana.

Ese escritor es famosísimo.

Eres muy agradable.

Ella es más virtuosa que tú.

8 Describe cómo es una montaña rusa. Puedes incluir los siguientes adjetivos:

- alta
- divertida
- empinada
- espeluznante
- sinuosa
- veloz

_____

_____

_____

_____

_____

_____

9 Diseña un anuncio publicitario en el que promociones a tu artista favorito. Utiliza los grados del adjetivo, para destacar el talento del artista. Acompaña tu anuncio con una foto del artista que promocionas.

Ortografía

1 Lee la invitación y encierra en un círculo los guiones y los apóstrofos. Luego, contesta:

LA ESCUELA DE ARTES

tiene el honor de invitarlo
a la exhibición:

"Pa'l monte es qu'es"

domingo,
12 de febrero de 2010

La exhibición presentará la trayectoria artística del pintor, escultor y músico franco-canadiense Fernando O'Neill (1918-1979). Como parte de la muestra, se proyectará un documental sobre la vida del artista y se subastarán algunas de sus obras.

333 de la avenida Padre Cimarro

---

a. ¿Qué palabras llevan el apóstrofo en la invitación? ¿Por qué lo llevan?

_____

_____

b. ¿En qué casos se utilizó el guion?

_____

_____

2 Separa las siguientes palabras en sílabas. Recuerda utilizar el guion.

a. manchego ➜ _____

b. antigua ➜ _____

c. absortos ➜ _____

d. aprovechar ➜ _____

e. ferrocarril ➜ _____

f. llamamiento ➜ _____

g. carácter ➜ _____

3 Utiliza el apóstrofo para suprimir letras de las siguientes palabras:

a. para acá _____

b. para el _____

c. para mí _____

d. te han dado _____

e. mi hija _____

f. de aquel _____

4 Escribe el guion o el apóstrofo donde sea necesario.

a. El cantante chileno argentino ofreció un concierto espectacular.

b. ¿Qu es lo que sucede aquí?

c. Rafael Tufiño (1922 2008) fue un importante artista puertorriqueño.

d. La palabra acceder se divide: ac ce der y no, a cce der, como dijo Luis.

e. El doctor D Annunzio me recetó los medicamentos para curar la tos.

f. ¡Vamos pa arriba y pa lante!

g. La orquesta cubano puertorriqueña llenó de sabor la fiesta.

5 Escribe un breve diálogo para los personajes de la ilustración. Recuerda utilizar el apóstrofo y el guion en la conversación.

_____
_____
_____
_____
_____
_____
_____
_____

Persigo mis sueños

1 Lee la historia. Luego, define las palabras destacadas, según el contexto.

Me llamo Martín y tengo once años. Antes pensaba que las aventuras solo sucedían en lugares **remotos**. Ahora sé que pueden ocurrir donde menos te lo esperas.

Hace dos semanas, empecé a leer las aventuras del **temible** pirata Parche Arrugado. Cuando ya había leído dos páginas y el pirata estaba a punto de asaltar un galeón **desbordado** de oro, escuché una voz triste que decía:

—¡No aguanto más! No puedo seguir así.

Sorprendido, miré a todas partes. ¡Allí no había nadie más que yo!

Me quedé **helado**, con el libro en las manos y sin atreverme a respirar.

—Y tú, ¿qué haces ahí, **tieso** como un poste? ¿Qué te pasa? —me preguntó **secamente** aquella voz.

¡No podía creerlo! ¡El mismísimo Parche Arrugado se había salido de la historia y me estaba hablando!

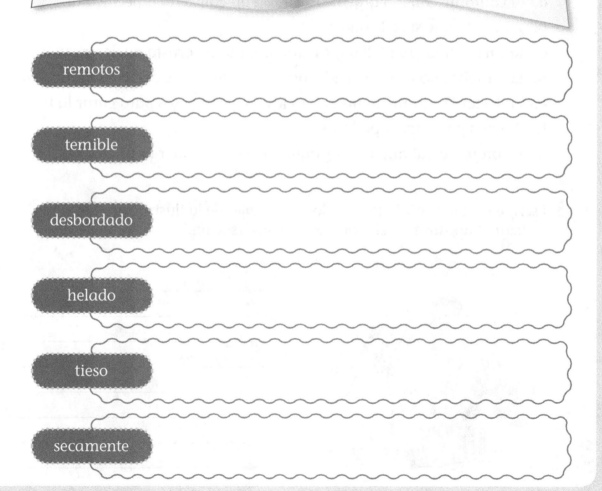

remotos

temible

desbordado

helado

tieso

secamente

2 Escribe una oración con cada uno de los significados de las palabras polisémicas que se muestran en la ilustración.

> • gato • pico • hoja

a. _____

_____

b. _____

_____

c. _____

_____

3 Busca los significados de las palabras polisémicas *copa, rosa, llama* y *yema*. Luego, escoge una y realiza un dibujo que muestre dos de sus múltiples significados. Acompaña cada dibujo con una oración que lo explique.

_____   _____

_____   _____

Gramática

1 Lee el artículo de la revista. Luego, subraya los pronombres personales que aparezcan en él.

Política

LOS REYES AYER Y HOY

Por Ciara Reparaz
Ilustradora: Elsa Santiago

Los reyes no son elegidos por el pueblo. Un rey lo es por ser hijo de un rey anterior. La monarquía es hereditaria: en ella el poder pasa de padres a hijos.

34 • Yabisí

En una época, estos reyes eran muy poderosos. Ellos tenían más derechos que nadie y se veían a sí mismos como dioses. Pero los tiempos han cambiado. En los países que aún tienen rey —como España, Bélgica, Suecia e Inglaterra—, existe también un jefe de Gobierno que dirige el país. Los reyes actuales representan a sus países, desempeñando una función diplomática. Y tú, ¿sabes cómo se llama nuestro sistema de gobierno? Nosotros no tenemos reyes; vivimos bajo un sistema democrático.

Yabisí • 35

2 Completa las oraciones con estos pronombres. Puedes usar algunos más de una vez.

• sí	• se	• ella	• conmigo
• les	• ellos	• contigo	• lo
• consigo	• nos	• él	• la

a. Mis primos Enrique y Gerardo vinieron de Cayey y ahora están viviendo _____.

b. Yo _____ conozco de algún lugar. Creo que _____ hemos visto antes.

c. _____ _____ devolvieron todas las entradas a los espectadores.

d. _____ _____ hizo una promesa a _____ misma y no la cumplió; por eso, está molesta _____ misma.

e. ¿Vas a viajar otra vez a Jayuya, Papá? Por favor, esta vez, llévame _____.

f. Esta revista _____ compraste en la librería de don Toño. Allí solo _____ vende esa clase de publicación.

3 Sustituye cada sujeto por un pronombre personal.

a. Maritza salió a jugar conmigo. → *Ella salió a jugar conmigo.*

b. José y Manu fueron a la fiesta. → _____

c. Camila y yo iremos a la zapatería. → _____

d. Carmen y Julia vendrán a estudiar. → _____

e. Eva y Walter son buenos amigos. → _____

f. Andrea y yo cantaremos juntas. → _____

g. Eduardo nos visita todos los días. → _____

h. Tu prima y tú saben inglés. → _____

4 Subraya los pronombres personales. Luego, sustitúyelos por sustantivos.

a. Él me contó recuerdos de su infancia.

_____

b. Nosotros no fuimos; fue él.

_____

c. Hoy me sentaré con ella en la escuela.

_____

d. Ese niño las tenía llenas de caramelos.

_____

e. Ayer, ellos jugaron toda la tarde.

_____

5 Completa el crucigrama con los pronombres personales adecuados.

a. Primera persona, singular

b. Primera persona, plural, femenino

c. Segunda persona, singular

d. Segunda persona, plural

6 Completa los espacios en blanco con el pronombre reflexivo correspondiente.

a. Félix ____ sentó a leer.

b. ¿Qué comis____ en el almuerzo?

c. ____ quedé en casa de mi tía Lourdes.

d. ____ dio la oportunidad y no la supis____ aprovechar.

e. ¿Conocis____ a don Abelardo?

f. ____ gustaría que vinieras a nuestra casa.

g. Di____ con quién andas y ____ diré quién eres.

h. ____ mentis____; ahora no podremos perdonar____.

7 Subraya los pronombres numerales.

a. El mío es el décimo de la lista.

b. Que salga el tercero.

c. Mañana saldrán veinte de viaje.

d. Dos no ponen huevos.

e. Es el primero de la clase.

f. Compra tres.

g. Quiero cuatro.

h. Me gusta más el segundo.

8 Clasifica, en esta tabla, los pronombres numerales que identificaste en el ejercicio anterior.

Pronombres numerales cardinales	Pronombres numerales ordinales

9 Sustituye los sustantivos por pronombres en las siguientes oraciones:

a. Entrega esta tarjeta a Sofía.

   Entrégasela.

b. Da mis saludos a tu madrina.

   _____

c. Compra un regalo a la abuela.

   _____

d. Responde a todas las preguntas del examen.

   _____

e. Pregúntale a José cuántos años tiene.

   _____

f. Dile a tu profesora que mañana hablaré con ella.

   _____

10 Observa los objetos. Luego, redacta oraciones que indiquen la ubicación de los objetos y sus cantidades. Utiliza pronombres numerales y pronombres reflexivos.

_____

_____

_____

_____

_____

_____

Ortografía

1 Lee la conversación. Luego, copia los monosílabos destacados e indica cuál es su significado.

> Mis amigos fueron a casa de Paula a tomar **té**. **Aún** no **sé** la razón por la cual no me invitaron. Todos estuvieron celebrando de lo lindo, compartiendo y conversando sobre sus vacaciones de Navidad. Estoy tan molesta con Paula. Tantas cartas diciéndome: "**Te** quiero", y ahora no me invita a su casa. Seguramente, todos deben estar riéndose de **mí** y de **mi** forma **de** ser. ¿**Tú** que piensas, Mami?

a. _____   e. _____

b. _____   f. _____

c. _____   g. _____

d. _____   h. _____

2 Lee las oraciones e identifica las palabras que solo se diferencien por la presencia de la tilde. Luego, cópialas.

a. A mí me parece que mi perro está triste. ➔ _____

b. Ella te servirá un delicioso té. ➔ _____

c. Si dices que sí vas a ir a la reunión, te regalaré un chocolate. ➔ _____

_____

3 Escribe la tilde diacrítica a los monosílabos que les corresponda.

a. Aun no sabemos nada de el.

b. Quisiera, mas no puedo ayudarte.

c. Tu voluntad es la clave.

d. ¡Dame mas comida!

e. Si leo mas, aprenderé mas.

f. ¡Se lo que quieras ser!

g. Me fascina el te helado.

h. Tu lograrás lo que te propongas.

4 Lee el texto y subraya los monosílabos. Luego, coloca la tilde diacrítica donde haga falta.

> José es mi amigo, pero tiende a comer demasiado. El otro día, asistimos a una cena, y el aun permanecía comiendo después de que todos los invitados se habían levantado de la mesa y tomaban el te en la sala. Te digo que sentí mi rostro enrojecer. Aun mas cuando la anfitriona se acercó y lo invitó a pasar a la sala y el siguió comiendo sentado.

5 Escribe una oración con cada pareja de monosílabos. Fíjate en el ejemplo.

*te / té → **Te** invito a tomar el **té** en mi casa.*

a. el / él _____

b. mi / mí _____

c. se / sé _____

d. de / dé _____

Redescubro mi isla

1 Observa las ilustraciones. Luego, completa la analogía.

• _____ es a fábrica como agricultor es a

_____.

2 Escribe *S*, si la relación que guardan las parejas de palabras es de sinonimia y *A*, si es de antonimia. Luego, une las parejas, según su relación analógica.

☐ morir: nacer	noble: plebeyo ◁
☐ condenar: perdonar	escasez: abundancia ◁
☐ ronda: vuelta	reír: llorar ◁
☐ valeroso: valiente	avanzar: adelantar ◁
☐ fuerte: débil	cubrir: tapar ◁
☐ limpiarse: ensuciarse	ampliar: achicar ◁
☐ ganar: perder	económico: barato ◁
☐ gozar: disfrutar	curarse: enfermarse ◁

3 Escoge palabras del recuadro para formar analogías. Observa el ejemplo:

rubí – dulzura – lobezno – tubérculo - roca – verde – fruta – perro
– dureza – rojo – papa – esmeralda – pera – miel – cachorro – lobo

a. _rubí: rojo_____

_esmeralda: verde_____

b. _____

_____

c. _____

_____

d. _____

_____

4 Completa cada analogía.

a. *Claro* es a *oscuro* como *día* es a _____.

b. *Vida* es a *muerte* como *Norte* es a _____.

c. *Saber* es a *ignorar* como *hallar* es a _____.

d. *Niño* es a *nene* lo mismo que *maestro* es a _____.

e. *Ave* es a *pájaro* como *interrogante* es a _____.

f. *Sendero* es a *camino* como *trabajo* es a _____.

g. *Generoso* es a *avaro* como *malvado* es a _____.

h. *Riqueza* es a *pobreza* como *calor* es a _____.

5 Crea un cartel en el que promociones un atractivo turístico de Puerto Rico. Utiliza analogías en tu promoción, para hacerla más atractiva. Sigue el modelo del anuncio presentado en el capítulo 8 del libro.

Gramática

1 Observa la ilustración y explica lo que sucede en ella. Luego, encierra en un círculo los verbos que emplees.

_____

_____

_____

_____

_____

2 Copia los verbos del ejercicio anterior en la tabla e indica la persona, el número y el tiempo en que se encuentran.

Verbo	Persona	Número	Tiempo

3 Escribe el infinitivo de cada verbo.

a. lloverá _____

b. lució _____

c. recogido _____

d. comprará _____

e. soñé _____

f. pedalea _____

g. hablo _____

h. canté _____

i. correrá _____

4 Escribe un verbo que complete cada oración. Recuerda que el verbo debe concordar en número y en tiempo con el sujeto de la oración.

a. Mañana, Marisela _____ al médico.

b. Mi hermano _____ tres horas en llegar a la casa.

c. Ana no _____ que tocaban el timbre.

d. Las golondrinas _____ sus nidos en el techo.

e. Los niños _____ y se _____ por causa del susto.

f. Yo _____ deportes todos los días.

g. Mis amigos me _____ una tarjeta.

5 Cambia los verbos de las siguientes oraciones al tiempo que se indique. Luego, escríbelas.

a. Yo elegí un bonito sombrero de paja, para acompañar mi disfraz. (*presente*)

_____

b. Nosotros dirigiremos a los ingenieros que trabajarán en la obra. (*pasado*)

_____

c. La mayoría de los países respetaron las leyes ambientales. (*futuro*)

_____

d. Jacinto vivirá solo, triste y acongojado en su nueva casa. (*presente*)

_____

6 Subraya los verbos e indica a qué modo verbal pertenecen.

a. Mi hermana trabaja aquí. _____

b. Ojalá vayamos al cine. _____

c. Comeré un helado. _____

d. Por favor, préstame el lápiz. _____

e. Vengan todos a jugar. _____

f. ¡Llámala ahora! _____

g. Gloria, cierra las ventanas. _____

h. Ya entregué el examen. _____

i. Junior jugaba en el equipo de baloncesto. _____

7 Completa el texto con formas verbales en presente del subjuntivo.

Ella se llama Adela. Quizá

_____ la niña más rica
      ser

del mundo. Es posible que

_____ en una casa
      vivir

muy, muy grande. Seguramente,
todos los años _____
                      viajar

a los lugares más bonitos del
mundo, a playas paradisíacas y a
ciudades fantásticas. Su padre quizá

_____ un avión
      tener

particular en el que _____ a todos los lugares.
                            ir

   Probablemente, _____ muchos amigos, pero es posible que
                        tener

no _____ del tiempo suficiente para verlos con frecuencia. Así
      disponer

que, tal vez, _____ viajar menos y estar más con ellos.
                  desear

8 Completa la tabla con las formas de la segunda persona del singular, para cada modo verbal estudiado.

Verbo	Indicativo	Subjuntivo	Imperativo
cantar			
mover			
venir			
escribir			
llamar			
hacer			
traer			
ir			

9 Redacta la descripción del personaje que se muestra, con los datos provistos. Utiliza los verbos necesarios.

- Ojos marrón, cejas pobladas, rostro ovalado
- Alto, fornido, uñas largas
- Dulce y risueño con niños y mascotas
- Biólogo de la Universidad Agraria
- Puertorriqueño
- Futuro: Beca en París – Doctor en Biología

_____

_____

_____

_____

_____

Ortografía

1 Lee la noticia y presta atención a las palabras que llevan letra mayúscula. Luego, completa la tabla.

Interrumpimos la programación para informarles que el Servicio Nacional de Meteorología ha emitido un aviso de tormenta tropical para todo Puerto Rico. José Alfredo Jiménez, el secretario de Educación, en conjunto con el Gobernador de Puerto Rico, ha puesto en vigor un plan de acción para enfrentar la situación. Se le solicita a la ciudadanía que coopere con el personal de emergencias y que ponga en práctica las sugerencias dadas en el *Manual para emergencias*. Las autoridades ubicarán a los refugiados en las escuelas que el DE (Departamento de Educación) ha preparado como refugios alrededor de toda la Isla.

Palabras	Razón por la que llevan letra mayúscula
Servicio Nacional de Meteorología	
Puerto Rico	
José Alfredo Jiménez	
Manual para emergencias	
DE	
Departamento de Educación	

2 Tacha la letra que debe ir en mayúscula y copia la oración correctamente.

a. el miércoles iremos al teatro tapia a ver una representación de *la cenicienta.*

_____

b. el lic. pérez presentó su propuesta a los invitados.

_____

c. la prof. díaz organiza una visita al museo de historia natural.

_____

d. mis padres estudiaron en la upr de río piedras.

_____

e. el periódico *la gaceta* se ha vuelto a publicar. ¡cómpralo!

_____

3 Escribe las siglas de las siguientes instituciones:

a. autoridad de energía eléctrica ➜ _____

b. sociedad para la asistencia legal ➜ _____

c. administración de corrección ➜ _____

d. departamento de la familia ➜ _____

e. junta de planificación ➜ _____

4 Completa la encuesta. Recuerda utilizar la letra mayúscula cuando sea necesario.

a. Nombre de dos familiares:

• _____ • _____

b. Grupos de música que te gusten:

• _____ • _____

c. Programas favoritos de televisión:

• _____ • _____

d. Libros favoritos:

• _____ • _____

Nuestro arte

1 Observa la ilustración y contesta:

- ¿Cuál de las pancartas crees que explique mejor lo que los manifestantes desean? ¿Por qué crees que sea así?

  _____

  _____

  _____

2 Marca la alternativa que consideres más precisa o exacta, para resolver cada situación.

a. Arturo está enfermo. Para saber si tiene fiebre, su madre debe:

☐ tocarle la frente con la mano.

☐ tomarle la temperatura con un termómetro.

b. Cecilia desea celebrar un pasadía, pero no sabe si el clima será agradable. Ella debería:

☐ observar las nubes y la dirección del viento.

☐ buscar el pronóstico del tiempo.

c. Glenda necesita transportar un cargamento de bloques. No sabe a qué tío pedirle ayuda. Glenda debería llamar al:

☐ Tío Luis, que tiene una guagua.

☐ Tío Oscar, que tiene un camión de carga.

3 Completa cada oración con la palabra adecuada, para el grado de intensidad expresado.

• caliente	• empapado	• hirviendo
• mojado	• templado	• húmedo

a. Cayeron unas gotas sobre el pantalón, así que está _____.

b. Veo burbujas en el agua de la olla; debe estar _____.

c. Pensé que estaría seco, pero está _____.

d. Acabo de sacar el sartén de la estufa, así que está _____.

e. Me sorprendió un fuerte aguacero, por lo que llegué _____.

f. El clima es _____: no hace ni mucho frío ni mucho calor.

4 Selecciona la palabra más precisa, para que completes el mensaje de la oración.

a. Para hallar soluciones a los problemas laborales, el Gobierno y los trabajadores deben llegar a un (*convenio* / *acuerdo*).

b. Mi padre se hizo muy rico desde que (*adquirió* / *compró*) muchas propiedades.

c. Debemos (*acelerarnos* / *apresurarnos*) para llegar a tiempo a la reunión.

d. Es importante entender que no debemos tener una campaña electoral (*desordenada* / *indisciplinada*).

e. Tengo la (*seguridad* / *certeza*) de que todos mis amigos votarán por mí.

5 Observa la ilustración y redacta un corto párrafo en el que la describas, en forma detallada y precisa.

_____

_____

_____

_____

_____

_____

Gramática

1 Observa la carátula del disco. Luego, copia los verbos regulares y los verbos irregulares que aparezcan en ella.

Lola, La andaluza, presenta:

1. No lloraré
2. Terminé mi rumba aquí
3. Ayer fui, hoy seré
4. Me morí el día que te fuiste
5. Bailaré hasta que amanezca
6. No juegues conmigo
7. Estaré en la feria de abril
8. Puedo ser muy mala cuando quiero
9. Aprendí tanto de ti
10. Parto a tierra extraña
11. Temí tanto perderte
12. Doy tanto como recibo

a. Los verbos regulares:

_____

_____

_____

b. Los verbos irregulares:

_____

_____

_____

2 Separa la raíz de la terminación, en los siguientes verbos. Luego, indica si pertenecen al modelo de conjugación –*ar*, -*er* o –*ir*.

a. cantan ➤ _cant_ + _an_ **-ar**

b. viviste ➤ _____ + _____ ☐

c. comprabas ➤ _____ + _____ ☐

d. ande ➤ _____ + _____ ☐

e. estudiará ➤ _____ + _____ ☐

f. subimos ➤ _____ + _____ ☐

3 Completa las oraciones utilizando la forma correcta de cada verbo en tiempo presente.

a. Yo _____ al teatro contigo. (*ir*)

b. Martita y Juan _____ en el columpio. (*jugar*)

c. Los nuevos vecinos _____ mucho entusiasmo. (*sentir*)

d. Yo _____ que felicitar a los nuevos compañeros. (*tener*)

e. Tú _____ una estudiante muy activa. (*ser*)

f. Yo _____ ir a visitarte en el invierno. (*pensar*)

g. Marianela _____ una carpintera muy cotizada. (*ser*)

4 Completa la tabla con las conjugaciones de los tiempos pasado, presente y futuro, en primera persona.

Verbos	Pasado	Presente	Futuro
apagar			
traer			
contestar			
dar			
ir			
vigilar			

5 Subraya el verbo en cada oración. Luego, cámbialo al tiempo verbal que se indica y copia la oración correctamente.

a. El horno no funcionar bien por mucho tiempo. (*futuro*)

_____

b. Ágata y Maritza trabajar juntas en la fábrica. (*pasado*)

_____

c. Sarita caminar del colegio a su casa todos los días. (*presente*)

_____

d. Jaime y sus amigos idear un plan excelente. (*pasado*)

_____

e. El mecánico reparar el auto de sus vecinos, Aldo y Cleo. (*presente*)

_____

6 Encierra en un círculo los verbos de las oraciones. Luego, escríbelos en infinitivo.

a. Yo seré un escritor famoso. _____

b. Ya comencé la tarea. _____

c. La novela tiene doce capítulos. _____

d. ¿Por qué no vas a mi casa? _____

e. Dime si te agrada la novela. _____

7 Escribe *R*, si la oración posee verbos regulares e *I*, si posee verbos irregulares.

a. Los actores llegarán luego.

b. El público aplaudió fuertemente.

c. Simón y Adrián son muy amigos.

d. María cantó en la última función del colegio.

e. Marta está en el otro salón con Marcos.

f. La función fue a las siete en punto.

8 Imagina que eres el guardián o la guardiana de un museo de arte. Luego, crea un cartel con indicaciones para los visitantes, en el que utilices verbos regulares. Sigue el ejemplo:

No pintar las paredes interiores ni exteriores del museo.

9 Redacta una oración con cada uno de estos verbos irregulares, que refleje lo que sientes en estos momentos.

a. ser _____

_____

b. estar _____

_____

c. dar _____

_____

Ortografía

1 Lee el texto. Luego, identifica las palabras que deberían llevar la letra *h* y cópialas correctamente en el espacio provisto.

Mirando acia su lienzo, un pintor soñó que dibujaba un capitán de un viejo y enorme barco pirata. Desde la calidez de su ogar, imaginaba las aventuras de aquel ombre en el mar. Tanto lo imaginó aquel joven pintor, que decidió pintar un barco pirata. Buscó todas sus pinturas y, tras muchas oras de gran esfuerzo y trabajo, aquella ermosa embarcación en su lienzo comenzó a parecer real. Observó, entonces, el joven pintor la obra que había creado y con la que tanto abía soñado.

Poco después, el pintor exibió su trabajo: no era solo un cuadro. Su obra era un símbolo de que lo sueños pueden acerse realidad.

2 Encierra en un círculo cada una de las once palabras que aparecen en la espiral. Empieza por el centro y ten presente que la última letra de cada palabra es la primera de la siguiente.

3 Completa cada oración con la palabra correspondiente.

• haz   • hiedra   • húmedo   • humilde   • humanos   • hueco

a. Más que ser orgulloso, conviene ser _____.

b. Llovió tanto que el césped estaba _____.

c. Paco es defensor de los derechos _____.

d. _____ el bien sin mirar a quien.

e. La _____ es una planta trepadora.

f. Aquel cantazo tan fuerte formó un _____ en la pared.

4 Escribe la respuesta a cada adivinanza. Recuerda que las respuestas son palabras que llevan *h*.

> Blanco es,
> la gallina lo pone,
> con aceite se fríe
> y con pan se come.

_____

> Soy blanca como la nieve,
> así dicen las vecinas,
> que al hornear panes y bizcochos
> soy muy útil en la cocina.

_____

> Fríos, muy fríos estamos
> y con nuestros sabores
> a los niños animamos.

_____

Una mirada al pasado

1 Observa la tirilla y subraya las palabras homógrafas y las homófonas.

Raúl Armando escuchó un ruido ensordecedor e, inmediatamente, se cayó del caballo. Valentina se calló en ese momento. Deseaba ver a Raúl Armando lo más pronto posible.

Valentina debe ser lista si no quiere estar en la lista de ex novias de Raúl Armando. ¡Qué buena está la radionovela!

2 Une cada homógrafo con dos de sus significados.

a. llave

b. coma

c. cobra

d. llama

e. sal

tipo de serpiente

condimento de algunas comidas

del verbo *cobrar*

del verbo *salir*

abre y cierra cerraduras

signo de puntuación

del verbo *llamar*

aprieta o afloja tuercas

masa gaseosa en combustión, flama

del verbo *comer*

3 Completa las oraciones con el homófono correcto, según el contexto.

coser / cocer   bellos / vellos   cien / sien

   a. Visitó el salón de belleza para depilarse los _____ del labio.

   b. Andy se ganó _____ dólares en la apuesta.

   c. La modista va a _____ el vestido de su boda.

   d. La etiqueta indica que debes _____ primero la carne.

   e. Adalberto tiene muchos lunares en la _____.

   f. ¡Esos gemelos tuyos son tan _____!

4 Selecciona, con ayuda del diccionario, el parónimo que completa cada oración.

   a. Marcos, echa la ropa sucia en el (*sexto / cesto*).

   b. Cuanto más (*hierro / yerro*), más demuestro mi humana imperfección.

   c. Ese material estará bastante (*accesible / asequible*) en esta caja.

   d. El conductor recibió una multa por (*infligir / infringir*) la ley.

   e. Le di mis condolencias, solo por (*diferencia / deferencia*).

5 Escoge palabras homógrafas, homófonas y parónimas de los recuadros, para redactar cinco oraciones. Procura utilizar combinaciones de estas palabras en tus oraciones. Sigue el ejemplo:

*Sentía tanto **afecto** por su **muñeca**, que el perderla tuvo un **efecto** demoledor en ella.*

homógrafos	homófonos	parónimos
cara	arroyo	adoptar
vela	arrollo	adaptar
muñeca	risa	afecto
pluma	riza	efecto

_____

_____

_____

_____

_____

Gramática

1 Lee el artículo de la revista y encierra en un círculo los adverbios.

CULTURA

¿POR QUÉ CHOCAMOS LAS COPAS AL BRINDAR?

Por Guillermo Castellón
Ilustradora Ana Sofía Reguera

El choque de las copas al brindar se originó como una manera de evitar la muerte. Quizá parezca extraño, pero es cierto.

65 • Yabisí

En la antigua Grecia, el envenenamiento era común. La gente que lo hacía invitaba a sus enemigos a comer y, al finalizar la cena, les ofrecían una copa de vino envenenado. Surgió, entonces, la costumbre de golpear muy fuerte una copa contra la otra, como señal de amistad; pero el objetivo real era que las gotas de cada una se intercambiaran. En la actualidad, brindamos solamente como signo de confianza y familiaridad.

Yabisí • 66

2 Completa la siguiente tabla con los adverbios que identificaste en el ejercicio anterior.

Adverbio	Tipo	Palabra modificada	Clase de palabra modificada
quizá	duda	parezca	verbo

3 Subraya el verbo y encierra en un círculo el adverbio que lo modifica. Luego, escribe una *M*, si el adverbio es de modo; una *L*, si es de lugar; una *T*, si es de tiempo; o una *N*, si es de negación.

☐ **a.** Mi gato, Bambi, vino rápidamente.

☐ **b.** Los doctores nunca descansan.

☐ **c.** El niño aún lee lentamente.

☐ **d.** Hoy, montaré mi bicicleta.

☐ **e.** ¿Tienes cerca un bolígrafo?

☐ **f.** Lucrecia estuvo aquí hace una hora.

4 Completa las oraciones con los adverbios del recuadro.

| • muy pronto | • poco | • allá | • antes | • mucho |
| • apenas | • bien | • nada | • aquí | |

a. ¡Siéntate _____!

b. Sergio _____ durmió quella noche.

c. _____ de ir para _____, debemos buscar a Maritza.

d. Está _____, mamá; yo te espero.

e. Como dice el refrán: No hay _____ nuevo bajo el sol.

f. Sírveme _____. No quiero comer _____, para no sentirme lleno.

g. Su nueva novela saldrá al mercado _____.

5 Encierra en un rectángulo rojo los adverbios y en uno azul, las frases adverbiales.

a. La escuela también está muy lejos.

b. Esteban, por si las dudas, envuelve los regalos con cuidado.

c. Los precios están impresionantemente buenos.

d. Mi padre leyó el informe de cabo a rabo.

e. Jamás había visto un vestido antiguo tan hermoso.

6 Completa las oraciones con una frase adverbial.

   a. ¡_____, acepto!

   b. Pedro estudia _____.

   c. _____, David escribió una carta.

   d. Limpió todo _____.

   e. Iremos _____ al parque.

   f. Lo leí _____.

7 Escribe una oración relacionada con cada situación. Utiliza adverbios de la clase que se indique en los paréntesis.

   a. Pancho irá a una fiesta. (*modo*)

   _____

   b. Los ancianos tomarán una siesta. (*duda*)

   _____

   c. Francisco compartirá con sus amigos. (*cantidad*)

   _____

   d. Iremos a la playa. (*afirmación*)

   _____

   e. José debe tomar una medicina. (*negación*)

   _____

   f. Imelda comprará zapatos. (*tiempo*)

   _____

   g. Aníbal José pintará su cuarto. (*lugar*)

   _____

8 Inventa una oración para cada una de las frases adverbiales. Luego, cópiala.

   a. boca abajo: _____

   b. de vez en cuando: _____

   c. de modo doloroso: _____

   d. de dos en dos: _____

   e. patas arriba: _____

   f. a la soltá: _____

9 Tacha los adverbios que no pertenezcan a la clasificación indicada.

> cantidad

más, demasiado, además, casi, apenas, encima, bastante

> negación

tampoco, aquí, jamás, también, nunca, no, nada, ahí

> duda

regular, acaso, tal vez, ahora, quizá, mañana, arriba

10 Redacta oraciones relacionadas con fechas históricas importantes para Puerto Rico. Utiliza los siguientes tipos de adverbios:

a. modo: *El 19 de noviembre celebramos **alegremente** nuestro descubrimiento.*

b. tiempo:

c. lugar:

d. afirmación:

11 Haz un dibujo que muestre cómo imaginas el Puerto Rico de comienzos del siglo veinte. Luego, utiliza las frases adverbiales estudiadas para describirlo.

Ortografía

1 Lee el siguiente texto. Luego, subraya las palabras que se escriban con *ll* y con *y*, según esta clave:

- **verde**= palabras con *ll*   • **rojo**= palabras con *y*

Un día, un pollo se subió a la valla que cercaba el gallinero y se puso a cantar y cantar. El dueño del gallinero lo oyó y, con el cayado en la mano, se acercó a la valla:

—¡Vaya, vaya…! Así que tienes ganas de cantar, ¿eh? No quiero que seas un pollo escandaloso, sino un pollo callado.

—No quiero estar callado —dijo el pollo. Y de un brinco fue a posarse en un poyo de piedra. El dueño no tardó en encontrar un argumento convincente:

—Si no estás callado, acabarás en la olla.

2 Completa las oraciones con las siguientes palabras:

- • halla   • arrollo   • callado
- • haya   • arroyo   • cayado

a. Casi _____ a esa anciana. Felizmente, no le sucedió nada.

b. Cruzaremos juntos el _____ de un salto. No te preocupes, tengo todo bajo control.

c. No entiendo por qué permaneció _____ durante toda la reunión.

d. Ojalá no me _____ olvidado de traer los trabajos de Estudios Sociales.

e. El delincuente se _____ escondido en un depósito de llantas ubicado en esta cuadra.

f. El pastor llevaba siempre consigo su _____.

3 Completa el texto con formas verbales de las siguientes palabras: *brillar, atropellar, arrodillar* y *aullar.*

> **Un gran susto**
>
> Aquella mañana el sol _____ y yo me desperté temprano. De pronto, en la calle, se escuchó un gran bullicio. Me abrí paso entre la gente y encontré a mi perro, que al verme, _____ muy asustado. Una moto que pasaba cerca estuvo a punto de _____. Me _____ junto a él, traté de calmarlo y lo llevé de vuelta a casa.

4 Conjuga los siguientes verbos en el tiempo pasado de las personas que se indiquen. Luego, completa las oraciones con las conjugaciones correctas.

Persona	Oír	Creer	Leer
él, ella			
ellos, ellas			

a. Juan dijo la verdad, pero sus amigos no le _____.

b. Ana no _____ que sonaba el teléfono.

c. El ganador llevaba escrito el discurso, pero no lo _____.

5 Escribe palabras que completen cada grupo.

Palabras que comienzan con *ll*	Palabras con *ll* en el medio	Palabras que comienzan con *y*	Palabras con *y* en el medio

Algún día seré...

Vocabulario y Razonamiento verbal

1 Lee el texto con mucha atención, y tacha aquellas oraciones que no sean coherentes con el resto del contenido. Luego contesta:

Durante el verano, mis amigos y yo nos reunimos un día para disfrutar de las vacaciones. Nos juntamos para jugar ajedrez en casa de mi tía Aurora. ¡Fue una tarde fabulosa!

El juego se puso interesante cuando Juan y Adrián, los dos jugadores más fuertes, compitieron entre sí. En un momento dado, Adrián movió su "reina" y amenazó de jaque mate al "rey" de Juan. ¡Todo era aburrido aquel fantástico día! ¡Fue maravilloso jugar con la arena y con las olas del mar!

El segundo día fuimos de visita al zoológico. Allí, vimos muchos animales de distintas partes del mundo. Los que más me gustaron fueron los animales que provenían de África, como las jirafas, los leones, los pingüinos, los monos y los elefantes. Igualmente, me encantó el espectáculo de los animales del océano. Fue fantástico ver las focas, los delfines, las ballenas y los cocodrilos hacer malavares en el aire y debajo del agua.

¡Espero con ansias a que lleguen las próximas vacaciones!

- Según lo estudiado en clase, ¿qué errores de coherencia encontraste en el texto anterior?

_____

_____

_____

_____

_____

_____

2 Corrige las oraciones que presenten errores de concordancia de género o de número.

a. Los automóvil ibas a gran velocidad.

_____

b. Todos leí cuentos en la biblioteca.

_____

c. Papá, él y yo viajaré juntos.

_____

d. ¡Diles no a las drogas!

_____

e. Las niños y niñas estaban ansiosas.

_____

f. Esa viejo amiga me felicitó.

_____

3 Redacta un corto párrafo en el que hables acerca de lo que deseas ser cuando seas mayor. Recuerda que debes presentar tus ideas de manera precisa y coherente, para evitar confusiones.

_____

_____

_____

_____

_____

_____

_____

_____

Gramática

1 Observa la tirilla y subraya las preposiciones, las conjunciones y las interjecciones, según esta clave:

- **azul**= preposiciones
- **rojo**= conjunciones
- **verde**= interjecciones

2 Escribe las preposiciones que falten, según el orden alfabético.

a.
a
_____
bajo
_____
_____
de

b.
_____
durante
_____
_____
hacia

c.
_____
mediante
_____
por
_____

d.
según
sin
_____
_____
vía

3 Busca las preposiciones en la siguiente sopa de letras:

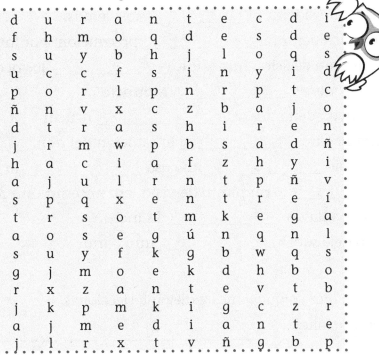

```
d  u  r  a  n  t  e  c  d  i
f  h  m  o  q  d  e  s  d  e
s  u  y  b  h  j  l  o  q  s
u  c  c  f  s  i  n  y  i  d
p  o  r  l  p  n  r  p  t  c
ñ  n  v  x  c  z  b  a  j  o
d  t  r  a  s  h  i  r  e  n
j  r  m  w  p  b  s  a  d  ñ
h  a  c  i  a  f  z  h  y  i
a  j  u  l  r  n  t  p  ñ  v
s  p  q  x  e  n  t  r  e  í
t  r  s  o  t  m  k  e  g  a
a  o  s  e  g  ú  n  q  n  l
s  u  y  f  k  g  b  w  q  s
g  j  m  o  e  k  d  h  b  o
r  x  z  a  n  t  e  v  t  b
j  k  p  m  k  i  g  c  z  r
a  j  m  e  d  i  a  n  t  e
j  l  r  x  t  v  ñ  g  b  p
```

4 Encierra en un círculo las preposiciones de las siguientes oraciones:

a. Por motivos de salud, no pudo asistir a la reunión.

b. Leornardo es un amante de la pintura.

c. El médico receta medicamentos contra la migraña.

d. Clara tiene hasta el miércoles para entregar su proyecto.

e. Manuel Fernández Juncos nació el 11 de diciembre de 1846, en Tresmonte, España; murió el 18 de agosto de 1928, en San Juan, Puerto Rico.

5 Selecciona la preposición correcta y completa cada oración.

a. Recuerda que, (*por* / *ante*) todo, debemos cuidar la Tierra.

b. Ese artículo fue publicado (*en* / *por*) el periódico.

c. Creo que hay espacio (*ante* / *entre*) esos dos autos.

d. Todos llegarán (*en* / *a*) la casa (*de* / *con*) Marcos (*para* / *por*) la fiesta.

e. Partió deslumbrado (*tras* / *por*) su belleza.

6 Completa las oraciones con preposiciones.

a. Debes considerar _____ los demás.

b. Conduce siempre _____ precaución, por favor.

c. Tomó una decisión inmediata _____ los acontecimientos.

d. Este regalo es _____ Mauricio.

e. Por favor, deme un café _____ azúcar.

f. Ester llegará _____ la estación del tren.

g. Fui a pie _____ mi casa _____ la suya y no estaba.

h. _____ mi punto de vista, eso necesita una revisión.

i. Puse las llaves _____ la mesa.

j. Se lo dejé saber _____ una carta.

7 Menciona diez conjunciones y diez interjecciones.

conjunciones > _____

_____

_____

interjecciones > _____

_____

_____

8 Escribe la conjunción adecuada para cada caso.

a. Elvira es responsable _____ inteligente.

b. ¿Vienes _____ te quedas? Piénsalo.

c. No me gusta _____ la pizza _____ las papitas.

d. Jesús _____ Isabel juegan monopolio.

e. Elisa debe tener siete _____ ocho años.

f. Cómpralo si te gusta, _____ dejálo en la repisa.

g. No sé si trajo un libro _____ una agenda.

h. Te esperé toda la tarde, _____ no llegaste.

i. Quiero un mantecado de coco _____ fresa.

j. Te lo compré _____ dijiste que te hacía falta.

Papitas

9 Crea una invitación para una fiesta, una boda o un cumpleaños. Utiliza, en tus oraciones, preposiciones y conjunciones.

10 Completa el siguiente diálogo. Utiliza interjecciones.

Pablo: ¿Cómo estuvo el paseo?

Mildred: _____

Pablo: ¿Por qué fue tan horrible?

Mildred: _____

Pablo: ¿Pero estuvo buena la comida?

Mildred: _____

Pablo: ¡Qué mala suerte tienes!

Mildred: _____

Pablo: ¿Y cómo estuvo el viaje en guagua?

Mildred: _____

Pablo: Te compadezco, Mildred. ¡Suerte para la próxima!

Mildred: _____

Ortografía

1 Lee las notas e identifica las palabras que lleven *x*. Luego, cópialas.

> ¡Visita con nosotros la NASA! Reserva tu espacio para el excepcional viaje estudiantil de este año. Para más información, comunícate con el Prof. Pérez. ¡Te invitamos a ser parte de esta experiencia única!

> Participa de nuestro extraordinario certamen literario, que se realizará durante la Semana de la Lengua. Exprésate escribiendo cuentos, poemas o ensayos. Para inscribirte, comunícate con la Sra. Lugo.

> El ex presidente de la clase graduanda de sexto grado anunció, extraoficialmente, que presentará su último informe financiero y su mensaje de despedida este viernes, en el Salón de Conferencias. ¡Te esperamos!

> Mensaje positivo del día: No te extralimites al hablar o al tomar decisiones. Extiende tu tiempo para reflexionar un poco más y medita bien las cosas antes de actuar.

- Palabras que se escriben con *x*: _____

  _____

  _____

2 Crea palabras con las sílabas de los círculos. Incluye la combinación *ex* al comienzo. Sigue el ejemplo.

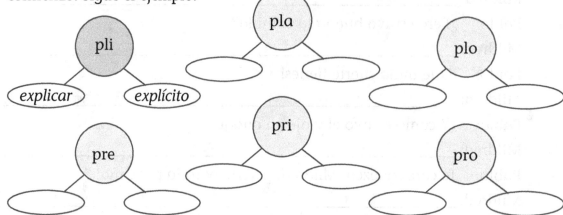

3 Marca si la palabra está escrita correcta o incorrectamente. Consulta el diccionario cuando lo necesites.

a. conección ☐ correcto ☐ incorrecto

b. esaxerbar ☐ correcto ☐ incorrecto

c. escusa ☐ correcto ☐ incorrecto

d. exequias ☐ correcto ☐ incorrecto

e. cilófono ☐ correcto ☐ incorrecto

f. espectativas ☐ correcto ☐ incorrecto

4 Consulta el diccionario y completa el crucigrama con palabras que lleven *x*.

a. Vender o enviar mercancía al extranjero.

b. Aparato para sacar el jugo de las frutas.

c. Recorrer un lugar para conocerlo.

d. Espacio de terreno llano o allanado.

e. Gesto del rostro que indica un sentimiento.

5 Diseña una tarjeta de presentación en la que emplees algunas de las siguientes palabras y otras que conozcas, que lleven *x*.

| • exterminador | • examinador | • experto | • exacto |
| • exótico | • éxito | • excelente | • extensa |

Estoy conectado

Vocabulario y Razonamiento verbal

1 Observa, atentamente, la ilustración y contesta:

a. ¿En qué lugar crees que se encuentre el hombre?

_____

_____

b. ¿Cómo piensas que se sienta el hombre? ¿Por qué crees que sea así?

_____

_____

2 Observa con atención las imágenes e infiere que animal crees que sean.
Copia el nombre del animal debajo de cada una y explica cómo lo inferiste.

_____   _____

_____   _____

_____   _____

3 Completa las oraciones con inferencias.

a. Braulio, el hojalatero, arregló _____.

b. Los músicos dieron un _____.

c. Ana, la peluquera, me hizo _____.

d. El juez iba tarde a un _____.

4 Lee con atención el siguiente texto y marca la inferencia correcta:

Los primeros pobladores

Los primeros seres humanos no vivían en un sitio fijo, sino que se desplazaban de un lugar a otro buscando alimentos. Podían vivir en un mismo lugar durante un tiempo; pero cuando la caza, la pesca y las plantas silvestres se agotaban, se marchaban a otro lugar.

Luego, descubrieron la agricultura y la ganadería. Estas actividades les permitían tener alimentos durante todo el año; lo que permitió que los seres humanos pudieran establecerse y vivir en un lugar fijo. A su vez, los campos de cultivo requerían cuidados constantes (siembra, riego y siega), por lo que, los grupos humanos se hicieron sedentarios, es decir, se establecieron en un sitio fijo y construyeron poblados.

☐ Los poblados estaban situados, generalmente, junto a un río, a fin de tener agua para regar los campos y para abastecer a la población y al ganado.

☐ Algunas aldeas crecieron mucho y se convirtieron en ciudades auténticas.

5 Infiere las preguntas que le hizo un periodista a la actriz de la ilustración, a partir de su respuesta, y escríbelas.

_____

_____

_____

_____

_____

_____

Saludos al público del Canal 6. Mi nueva película se titula *Ojos que no ven*. Mateo Del Valle y yo la protagonizamos. Fue grabada en Marruecos, en Túnez y en el Viejo San Juan. La trama está llena de aventuras, risas y un poco de romance. Véanla. No se arrepentirán.

Gramática

1 Lee el correo electrónico y encierra en un círculo los verbos de las oraciones. Luego, subraya los predicados, según esta clave:

- **azul** = oraciones con predicado simple
- **amarillo** = oraciones con predicado compuesto

✉ Mi nueva mascota   ▭ ＋ ☒

Archivo   Edición   Ver   Insertar   Formato   Herramientas   Acciones

Para...   fabiolaeslaquees@espaseis.com

CC...

Asunto: Mi nueva mascota

¡Hola, Fabiola! ¿Adivina qué? Ayer en la tarde, recibí una gran noticia. Papi me dijo que lo había pensado bien y que aceptaba que tuviésemos una mascota en la casa. Estaba tan contento que dejé caer la libreta al piso y empecé a buscar información en Internet sobre diferentes tipos de mascotas. Llevé a cabo una larga investigación y llegué a la conclusión de que la mejor mascota para mí es un conejo.

Esta mañana, todos fuimos a la tienda de mascotas. Lo vi en cuanto llegamos: era hermoso, parecía una pequeña mota de algodón. Mi papá cargó la conejera; mi mamá, la bolsa de alimento; y yo, a Julián, mi nueva mascota. Ya todos nos acostumbramos a su compañía. Quiero mostrártelo. ¿Cuándo vas a venir?

Te espero pronto,

Lorenzo

---

2 Contesta:

    a. ¿Cómo supiste qué oraciones son simples? Explica.

    _____

    _____

    _____

    b. Explica cómo supiste qué oraciones son compuestas.

    _____

    _____

    _____

    _____

3 Escribe *S*, si las oraciones son simples y *C*, si son compuestas.

☐ **a.** Se fracturó la rodilla en el juego de baloncesto.

☐ **b.** El recital quedó maravilloso y tú recitaste súper bien.

☐ **c.** Juliana llegó tarde y saludó a todos.

☐ **d.** Por favor, friega los trastes de la cocina.

☐ **e.** Cuando lleguen a la feria, disfrutarán un montón.

☐ **f.** Ellos juegan mientras sus padres conversan.

☐ **g.** Vamos a Jayuya, para montar a caballo.

☐ **h.** Todos iremos a casa de doña María, la tía de Ernesto.

☐ **i.** El pavo estuvo riquísimo; a los invitados les gustó.

☐ **j.** Carlos aceptó la invitación, pero no asistió.

4 Forma oraciones yuxtapuestas a partir de las siguientes oraciones simples:

| El niño bajará la colina. | Llegará hasta el río Nilo. | Recogerá agua en sus manos. |

a. _____

| Subirá hasta la cima. | Dará agua a la flor. | Regresará con sus papás. |

b. _____

| María bailó toda la noche. | Ella era la reina de la fiesta. |

c. _____

| Él quería escribir una novela. | Soñaba con publicarla. |

d. _____

5 Une las proposiciones y sus respectivos nexos, para formar oraciones coordinadas.

a. ¿Juan estudia   pero   oye música?

b. No vino a saludarnos   u   merezco un descanso.

c. Trabajé poco;   y   no tuvo tiempo.

d. No me lastimé   porque   se rompió la bicicleta

e. Hoy salté   ni   bailé hasta más no poder.

6 Completa las oraciones subordinadas con las siguientes palabras:

• por lo tanto   • para que   • que   • cuando   • desde

a. Te preparé un té de naranjo _____ te tranquilices.

b. Todos pensamos _____ tú actuaste inapropiadamente.

c. Todas escuchaban atentas el cuento, _____ Dani comenzó a llorar.

d. Aquella vez no la pasamos bien, _____ decidimos no volver.

e. Laura esperó en el auto _____ las cinco de la tarde.

7 Colorea de rojo las oraciones yuxtapuestas; de azul, las coordinadas; y de verde, las subordinadas.

a. Ayer estuvieron contentos, pero hoy parecen estar tristes.

b. Remodeló la casa y agrandó el patio.

c. Supongo que ya estudiaste para el examen de Español.

d. Me voy para que puedas dormir bien.

e. Los padres buscaban al niño; los vecinos los ayudaban.

f. Podemos viajar en autobús o volar en avión.

g. Avisaron que llegarían cuando hayan despertado sus vecinos.

8 Observa la ilustración y escribe tres oraciones simples y tres oraciones compuestas, que la describan.

a. oraciones simples:

_____

_____

_____

b. oraciones compuestas:

_____

_____

_____

_____

9 Convierte estas oraciones simples en el tipo de oración compuesta que se indique entre paréntesis.

a. Ayer fuimos al parque. Comimos frutas naturales. (*coordinada*)

_____

b. Lo puse en el armario. Guardo mis pantalones. (*subordinada*)

_____

c. Dímelo todo. No dejes fuera ningún detalle. (*yuxtapuesta*)

_____

d. Te hablé. No escuchaste una sola palabra. (*coordinada*)

_____

e. Vamos a la escuela. Te den las notas. (*subordinada*)

_____

Ortografía

1 Observa la tirilla. Luego, contesta:

a. ¿Qué palabras llevan el grupo *cc*?

_____

b. ¿Qué palabras llevan el grupo *ct*?

_____

2 Completa las palabras con el grupo *cc* o el grupo *ct*, según corresponda.

coa____ión
rea____ión
infe____ión

defe____o
corre____ión
pa____o

afe____o
a____ión
le____ura

ta____o
fri____ión
condu____ión

3 Completa el texto con las palabras del recuadro. Luego, escribe su palabra derivada que tenga *cc*.

> • actor   • productor   • actuar   • director

> Un famoso _____ (_____) de cine no aceptó el papel protagónico de una nueva película titulada *Hasta el fin*. El _____ (_____) explicó que la estrella de cine se opuso a bajar veinte libras para representar el papel de un faquir. "Soy capaz de muchos sacrificios para _____ (_____), pero usar productos reductores de peso o seguir dietas radicales no está entre mis planes", declaró el artista, quien pidió mantener su identidad oculta.
> El _____ (_____) de la película está buscando otro actor dispuesto al sacrificio. La próxima semana sabremos quién aceptó el papel protagónico de *Hasta el fin*.

4 Construye palabras que lleven el grupo *cc*, a partir de las palabras: *adicto, actor, proyector* y *correcto*. Luego, completa las oraciones con las palabras que formaste.

a. El cigarrillo contiene una sustancia nociva que crea
_____.

b. A mi papá le gustan mucho las películas de _____.

c. Veremos la _____ de un video sobre el daño que causan las drogas.

d. ¿Mañana haremos la _____ del proyecto?

5 Redacta un texto en el que utilices las siguientes palabras escritas con *ct* o sus derivadas.

protección	redacción	sección

_____
_____
_____
_____

Repaso

1 Escribe la traducción correcta en español de los siguientes extranjerismos:

a. *back-up* _____

b. *magic-markers* _____

c. *consulting* _____

d. *affaire* _____

2 Forma palabras al completar los siguientes prefijos y sufijos:

a. in- _____

b. ante- _____

c. _____ -mente

d. _____ -ota

3 Marca la palabra que complete cada serie.

a. fomentar, promover, promocionar

☐ regalar   ☐ apoyar   ☐ obstaculizar

b. yo, tú, él

☐ aquel   ☐ nosotros   ☐ las

c. jauría, ejército, arboleda

☐ perros   ☐ muchos   ☐ archipiélago

4 Indica la función de los siguientes elementos de la comunicación:

a. emisor - _____

b. receptor - _____

c. mensaje - _____

d. código - _____

e. canal - _____

5 Indica si las oraciones son unimembres o bimembres.

a. Fuimos al campo.   _____

b. El peluche blanco es de Mercedes.   _____

c. ¡Perdón!   _____

d. ¡Fuera!   _____

e. Voy a cuidar las flores del jardín. _____

6 Subraya el sujeto. Luego, indica si el sujeto es simple o compuesto.

    a. Los patines y el casco se perdieron hace tiempo. _____

    b. Carmen salió a dar una vuelta en su bicicleta. _____

    c. Marta, Cecilia y yo fuimos al concierto de Luis Fonsi. _____

    d. Mi mamá me dio dinero para que compremos comida. _____

7 Subraya el predicado y encierra en un círculo su núcleo. Luego, indica si el predicado es verbal (**V**) o nominal (**N**).

    ☐ **a.** Delia pasará el verano en la finca.

    ☐ **b.** Karolina y su familia son muy unidas.

    ☐ **c.** El verano es la estación del año que más me gusta.

    ☐ **d.** La clase de música comienza en agosto.

    ☐ **e.** Rebeca invitó a Laura a comer a su casa.

8 Coloca los dos puntos y las comillas donde sea necesario.

El miércoles Raúl dijo Mañana y el viernes son feriados. Podremos comenzar a pintar la casa mañana mismo. Fernando respondió Mañana estaré ocupado. ¿Qué les parece el viernes? Entonces, el Sr. Benítez comentó Escuché que lloverá ese día.

9 Indica por qué estas oraciones llevan los puntos suspensivos.

    a. Compré zapatos, medias, trajes... _____

    b. Fui a visitarte y adivina qué vi... _____

10 Coloca los paréntesis donde sea necesario.

    a. Walt Disney 1901-1966 fue autor de muchos dibujos animados.

    b. La Universidad de Puerto Rico UPR es una de las mejores instituciones educativas del país.

    c. Mi prima Julia la más alta del grupo me ayudó a alcanzar la soga.

Repaso

1 Encierra en un círculo los conectores de las siguientes oraciones. Luego, parea las oraciones con el tipo de conector empleado.

___ **a.** Me voy a comprar un vestido; también, unos zapatos.

___ **b.** Me gustaría visitar a mi abuela, pero tengo otra cosa que hacer.

___ **c.** Primero vemos la película; luego, iremos a comer.

___ **d.** El techo de mi casa colapsó debido a la fuerza del huracán.

___ **e.** Lo necesito para mañana; por eso, iré a comprarlo.

1. adición
2. consecuencia
3. secuencia
4. causa
5. contraste

2 Escribe tres palabras derivadas para cada palabra primitiva.

a. árbol - _____

b. casa - _____

c. rosa - _____

3 Forma dos palabras compuestas con cada grupo de palabras simples.

a. boca, calle, cruza _____ _____

b. costas, espaldas, guarda _____ _____

c. abre, cartas, latas _____ _____

4 Encierra en un círculo las palabras parasintéticas.

a. afrancesar

b. cuentagotas

c. ultramarino

d. descafeinado

e. puntapié

f. desesperación

5 Subraya el sintagma del sujeto y encierra en un círculo el sintagma del predicado.

a. El carro de Pedro se descompuso.

b. El profesor Salas estará muy ocupado en los próximos días.

c. Ella regaló flores a las cantantes.

d. La mejor amiga de mi hermana conoce los secretos de la cocina italiana.

6 Completa las oraciones con determinantes.

a. _____ amable visita nos alegró.

b. No funcionan _____ semáforos.

c. _____ aldea está abandonada.

d. _____ bicicleta es nueva.

e. Confío solo en _____ personas.

f. _____ madre siempre me lo decía.

7 Subraya los adjetivos e indica a qué grado pertenecen: positivo, comparativo o superlativo.

a. La girafa es altísima.   _____

b. Mi hermana es la más grande de los tres.   _____

c. La tortuga es lentísima.   _____

d. El león es tan feroz como el zorro.   _____

e. Ese perro es manso.   _____

f. Mi bulto es menos pesado que el tuyo.   _____

g. Yo soy tan capaz como mi hermano.   _____

8 Escribe en cada ⬜ una coma o un punto y coma, según sea necesario.

a. María y Juan viajan en guagua ⬜ Ana y Pedro ⬜ en avión ⬜ mis primos ⬜ en carro ⬜ y nosotros en tren.

b. Me gustaría ir a la Argentina ⬜ el país del tango ⬜ y al Brasil ⬜ el país de la samba.

c. Casi siempre las nubes van muy altas ⬜ pero, a veces, descienden ⬜ bajan a ras del suelo ⬜ y, entonces, se llaman *nieblas*.

9 Coloca el guion o el apóstrofo donde falte. Luego, escribe la regla que aplica.

a. Mi vecino, Paulo, es italo argentino. _____

b. Pa mí que no le dio la gana hacerlo. _____

c. El capitán O Donnell es muy estricto. _____

d. Sé dividir esa palabra: á e re o. _____

Repaso

1 Define las palabras destacadas, según el contexto en el que aparezcan.

a. Hoy iremos de **paseo** al campo.

_____

b. El **paseo** debe usarse solo en casos de emergencia.

_____

c. La ropa está muy **cara**.

_____

d. Tienes una **cara** muy bonita.

_____

2 Completa cada analogía. Luego, indica si es una sinónimia (**S**) o una antonimia (**A**).

☐ a. *Grande* es a *gigantesco* como *pequeño* es a _____.

☐ b. *Alto* es a *bajo* como *construir* es a _____.

☐ c. *Seguir* es a *parar* como *crecer* es a _____.

☐ d. *Bajar* es a *descender* como *subir* es a _____.

☐ e. *Primero* es a *último* como *principio* es a _____.

3 Sustituye los sustantivos destacados por pronombres. Luego, copia la oración.

a. **Andrés** y **César** son deportistas. _____

b. Inés escribió una carta para **su hija**. _____

c. **La profesora** nos dio mucha tarea. _____

d. **Carla**, **Pedro y yo** fuimos al baile. _____

e. Naomi invitó **a Lucía** a su casa. _____

4 Selecciona la conjugación verbal correcta, que complete cada oración.

a. El reloj no (*funcionaron* / *funcionó*) por mucho tiempo.

b. Claudia y Alexa (*trabajaste* / *trabajan*) juntas en la perfumería.

c. Jaime y sus amigos (*ideó* / *idearon*) una estrategia excelente.

d. Los niños (*visitarán* / *visitaron*) el parque mañana.

5 Indica si el modo verbal utilizado en las oraciones es indicativo, subjuntivo o imperativo.

   a. Maritza, avanza que llegaremos tarde. _____

   b. Ojalá pueda acompañarte durante el viaje. _____

   c. Mi abuela estaba calmada y de buen humor. _____

   d. Quizá vaya a la fiesta. _____

   e. Ricardo se olvidó de su parte en la obra teatral. _____

6 Subraya los verbos e indica si son regulares o irregulares.

   a. Tú eres una ciudadana muy comprometida. _____

   b. Yo te visitaré el próximo verano. _____

   c. La abuela nunca sabrá la verdad. _____

   d. Manuel planifica un viaje a España. _____

   e. Los niños presentaron su investigación. _____

   f. Natalia sentía mucha ansiedad aquel día. _____

   g. Por las tardes, practico equitación y gimnasia. _____

7 Selecciona el monosílabo correcto que complete cada oración.

   a. (*Tú / Tu*) pregunta es interesante.

   b. Juan siempre toma (*te / té*) con leche.

   c. A (*mí / mi*) me resulta fácil.

   d. No (*sé / se*) donde puse mi libreta.

   e. No quiero que me (*dé / de*) el sol en el rostro.

   f. Lo intenté, (*mas / más*) no pude.

   g. Esto fue lo (*qué / que*) encontré.

   h. (*Él / El*) compra en esa tienda.

8 Determina qué palabras deben llevar *h* y corrígelas.

   a. icimos _____   **e.** anillo _____

   b. olor _____   **f.** auecar _____

   c. ueco _____   **g.** alcauete _____

   d. enebrar _____   **h.** imán _____

Repaso

1 Selecciona el homófono o el parónimo adecuado para cada oración.

   a. Mis hermanos son unos (*ases / haces*) en la materia.

   b. Tómate un (*bazo / vaso*) de jugo de china.

   c. (*Ala / Hala*) esa cuerda.

   d. Agarré la soga por el (*estreno / extremo*).

   e. Si cambias tu (*aptitud / actitud*), obtendrás mejores resultados.

2 Encierra en un círculo la inferencia más lógica.

   a. Juan jugó alrededor de treinta partidos de fútbol sin ponerse espinilleras y nunca se lastimó.

     • Juan podrá jugar toda su vida sin tener que ponerse espinilleras.

     • Juan ha tenido suerte, pero no debería confiarse demasiado.

   b. Un mes después del accidente, Víctor regresó a su trabajo solo dos días por semana.

     • A Víctor no le gusta trabajar.

     • Víctor se recupera lentamente.

3 Completa el crucigrama con adverbios que sean otra palabra para:

   a. En este instante

   b. En el interior

   c. Además

   d. De esta manera

   e. Mucho

   f. Nunca

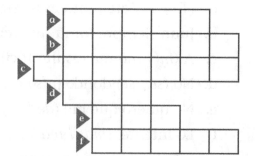

4 Subraya las preposiciones y encierra en un círculo las conjunciones.

   a. Ayer, preparé arroz con leche y lo dejé sobre la mesa.

   b. Ni Roberto ni Javier han llamado.

   c. No quiero mantecado de fresa, sino de vainilla con chocolate.

   d. Jimena es responsable e inteligente.

   e. Mi padre viajó a los Estados Unidos, mas volverá muy pronto.

   f. Llámala o escríbele antes de visitarla.

5 Indica si las siguientes oraciones son simples o compuestas.

a. El niño escaló la montaña de arena más alta. _____

b. Te serviré la comida y tú prepararás el jugo. _____

c. Me gusta mucho salir con mis padres. _____

d. Mañana iré al museo. _____

e. Busqué a mi maestra, pero no estaba en el salón. _____

f. Álvaro compró un bonito sombrero. _____

6 Escribe *Y*, si la oración es yuxtapuesta; *C*, si es coordinada; y *S*, si es subordinada.

☐ a. Tan pronto llegues, llama a tus padres.

☐ b. No uses la manguera porque se rompió.

☐ c. Papá volteó la cabeza por un instante y casi chocó contra otro carro.

☐ d. Después de practicar durante tres semanas, mejoró su promedio de bateo.

☐ e. Somos muy felices desde que nos conocimos.

7 Selecciona la palabra adecuada para completar cada oración.

a. Te pido que (*vayas / vallas*) conmigo al cine.

b. Prepararon la sopa en una (*hoya / olla*) de barro.

c. Ese mueble tiene (*poliya / polilla*).

d. Algunas orquestas caribeñas usan el (*silófono / xilófono*).

e. Permíteme (*explicarte / esplicarte*) lo que entendí de la película.

8 Completa las palabras con *c*, *cc* o *ct*, según corresponda.

a. La le____ión trató sobre la preocupante destru____ión de nuestro planeta.

b. Van a proye____ar una película sobre la libera____ión de unos esclavos.

c. El reda____or actuó con suma corre____ión y discre____ión.

d. La tradu____ión al español del discurso fue core____ta.

e. El plan de conserva____ión funcionó a la perfe____ión.

La realización gráfica estuvo a cargo del siguiente equipo:

Directora de arte:
Karys M. Acosta Marrero

Montaje:
Yashira De Santiago Domenech
Elsa L. Santiago Díaz

Ilustraciones:
Ruddy Núñez
Archivo Santillana

Diseño de portada:
José M. Ramos Colón

Producción:
Jacqueline Rivera

Jefa de documentación:
Taira M. Rivera Veguilla

Fotografías:
Archivo Santillana

YABISI Español 6
Cuaderno de Actividades
ISBN 13: 9781604844658

2 3 4 5 6 7 8 9 TS 24 23 22 21 20 19

Impreso en los Estados Unidos de America.